GÉNÉRATION OFFENSÉE

Caroline Fourest est éditorialiste à *Marianne*, réalisatrice, cofon-datrice de la revue *ProChoix*. Journaliste à *Charlie Hebdo* pen-dant l'affaire des caricatures, puis chroniqueuse au *Monde*, elle a enseigné à Sciences-Po Paris sur « Faire société : entre multiculturalisme et universalisme ». Elle a écrit de nombreux essais remarqués sur l'extrême droite et l'intégrisme dont *Frère Tariq*, *La Tentation obscurantiste*, *Marine Le Pen démasquée* et *La Dernière Utopie*. La plupart de ses livres sont édités en poche ou ont reçu des prix comme le Prix national de la laïcité, le prix Raymond-Aron, le Prix du livre politique et le prix Adrien-Duvand de l'Académie des sciences morales et politiques. Son premier film de fiction, *Sœurs d'armes*, est sorti en salles en 2019.

CAROLINE FOUREST

Génération offensée

De la police de la culture
à la police de la pensée

GRASSET

© Éditions Grasset & Fasquelle, 2020.
ISBN : 978-2-253-07820-3 – 1re publication LGF

INTRODUCTION

En mai 1968, la jeunesse rêvait d'un monde où il serait « interdit d'interdire ». La nouvelle génération ne songe qu'à censurer ce qui la froisse ou l'« offense ».

Outre-Atlantique, il suffit de prononcer ce terme pour éteindre une conversation. Parti d'une réflexion nécessaire pour débarrasser le vocabulaire de ses scories vexatoires, envers les femmes ou les minorités, le « politiquement correct » semble rejoindre la caricature liberticide que lui prédisaient ses adversaires conservateurs, depuis le début, avant même cette dérive. Une aubaine dont ils se frottent les mains. Car elle leur donne le beau rôle de champions des libertés.

Jadis, la censure venait de la droite conservatrice et moraliste. Désormais, elle surgit de la gauche. Ou plutôt d'une certaine gauche, moraliste et identitaire[1]. Désertant l'esprit libertaire, elle passe sa vie à lancer des anathèmes ou des oukases. Contre des

_____
1. Mark Lilla, *La Gauche identitaire*, Stock, 2018, p. 31.

7

intellectuels, des actrices, des chanteuses, des pièces de théâtre ou des films. Si encore elle hurlait contre de vrais dangers, l'extrême droite et la remontée du désir de domination culturelle ! Mais non. Elle polémique pour rien, tempête et s'emporte contre des stars, des œuvres et des artistes.

L'actualité déborde de campagnes insensées menées au nom de l'« appropriation culturelle ». Quand elle ne s'insurge pas contre Kim Kardashian pour des tresses « africaines », ou Rihanna pour une coiffe égyptienne, elle appelle à boycotter Jamie Oliver pour un « riz jamaïcain ». Au Canada, des étudiants exigent la suppression d'un cours de yoga pour ne pas « s'approprier » la culture indienne. Sur les campus américains, des étudiants traquent les menus asiatiques dans les cantines. Quand ils ne refusent pas d'étudier les grandes œuvres classiques comportant des passages « offensants ».

À l'université, ce temple du savoir, règne désormais la terreur de manger, et même de penser. On s'offusque à la moindre contradiction, vécue comme une « micro-agression », au point d'exiger des « safe spaces ». Des espaces sûrs, entre soi, où l'on apprend à fuir l'altérité et le débat. Le droit de dire, lui-même, est soumis à autorisation, selon le genre et la couleur de peau. Une intimidation qui va jusqu'au renvoi de professeurs.

La France résiste plutôt bien. Pourtant même là, des groupes d'étudiants se déchaînent contre des expositions, des pièces de théâtre, au point d'empêcher leurs représentations ou d'interdire physiquement le moindre conférencier qui leur déplaît, parfois même en déchirant ses livres. Des autodafés qui rappellent le pire.

Cette police de la culture ne vient pas d'un État autoritaire, mais de la société et d'une jeunesse qui se veut « woke », réveillée, car ultrasensible à l'injustice. Ce qui serait formidable si elle ne tombait pas dans l'assignation ou l'inquisition. Les millennials sont largement acquis à cette gauche identitaire dominant l'essentiel des mouvements antiracistes, LGBTI, et divisant même le féminisme. À moins d'un sursaut, sa victoire culturelle sera bientôt complète. Ses réseaux d'influence grandissent à l'intérieur des syndicats, des facultés, des partis politiques, et gagnent le monde de la culture. Ses cabales pèsent de plus en plus sur notre vie intellectuelle et artistique. Le courage d'y résister se fait rare. Si bien que nous vivons dans un monde furieusement paradoxal, où la liberté de haïr n'a jamais été si débridée sur les réseaux sociaux, mais où celle de parler et de penser n'a jamais été si surveillée dans la vie réelle.

D'un côté, le commerce de l'incitation à la haine, du mensonge et de la désinformation, prospère comme jamais, protégé au nom de la liberté d'expression, grâce au laxisme et à la dérégulation. De l'autre, il suffit d'un petit groupe d'inquisiteurs se disant « offensés » pour obtenir les excuses d'une star, le retrait d'un dessin, d'un produit ou d'une pièce de théâtre. Ces polémiques dessinent de vraies lignes de fracture, au sein de l'antiracisme et entre les générations.

Hier, les minoritaires se battaient ensemble contre les inégalités et la domination patriarcale. Aujourd'hui, ils se battent pour savoir si le féminisme est « blanc » ou « noir ». La lutte des « races » a supplanté la lutte des classes. « D'où parles-tu, camarade ? », lancé pour culpabiliser en fonction de la classe sociale, a muté en contrôle d'identité : « Dis-moi de quelle origine tu es et je te dirai si tu peux parler ! »

Loin de contester les catégories « ethnicisantes » de la droite suprémaciste, la gauche identitaire les valide, et s'y enferme. Au lieu de rechercher la mixité et le métissage, elle fractionne nos vies et nos débats entre « racisés » et non-« racisés », monte les identités les unes contre les autres, finit par mettre les minorités en compétition. Au lieu d'inspirer un nouvel imaginaire, revisité et plus divers, elle censure. Le résultat est là : un champ de ruines intellectuel et culturel. Qui profite aux nostalgiques de la domination.

Ce livre espère trouver un chemin pour en sortir[1]. Il ne s'agit pas de regretter le bon vieux temps où l'on pouvait se défouler contre les homosexuels, les Noirs ou les Juifs. Ni de servir de caution à ceux qui confondent le désir d'égalité avec une fantasmagorique « tyrannie des minorités ».

J'ai arraché le droit d'aimer aux insultes homophobes, entendues tout au long de mon enfance et

---

1. Il poursuit l'alerte formulée dès 2006 dans *La Tentation obscurantiste*, la réflexion sur la crise du multiculturalisme de *La Dernière Utopie*, et l'appel à défendre la liberté d'expression dans *Éloge du blasphème* (Grasset).

de mon adolescence. Mes premiers combats furent contre le sexisme, l'homophobie et le racisme. Comme présidente du Centre gay et lesbien, j'ai mené la bataille pour l'ancêtre du Mariage pour tous. Pour l'avoir défendu, je me suis fait rosser par des nervis aux cris de « Sale pédale ». La bataille pour l'égalité m'a forgée. Mais je reste furieusement attachée à celle pour la liberté.

Mais de par mon métier, journaliste et réalisatrice, ancienne collaboratrice à *Charlie Hebdo*, je crains pour la liberté de créer, de penser, de dessiner et même de moquer. Toutes ces facettes de mon identité ont nourri mon analyse sur l'équilibre à trouver.

Une meute d'inquisiteurs

Comme toutes les tempêtes, les vents mauvais de l'Inquisition moderne commencent toujours par se lever sur les réseaux sociaux. Lieu de liberté, Internet est aussi le lieu de tous les procès. On s'y déchaîne anonymement, on y lynche au moindre soupçon. Une meute de trolls furieux que la philosophe Marylin Maeso appelle « les conspirateurs du silence[1] », tant ils parviennent à nous museler. Nous vivons l'avènement de ce « monde de silhouettes », ce monde de faux-semblants que redoutait Albert Camus[2]. Partout, règne la tyrannie de l'offense, comme préalable à la loi du silence.

Il suffit de taper « cultural appropriation » sur Google, un terme qui s'est insinué dans le débat public depuis seulement une dizaine d'années, pour dénombrer 40 200 000 occurrences. Un déluge.

---

1. *Les Conspirateurs du silence*, Éditions de l'Observatoire, 2018.
2. Albert Camus : « Le siècle de la peur », « Ni victimes ni bourreaux ».

Les premières chasses à courre ont commencé au tournant du siècle. Un beau matin de novembre 2012, Heidi, une mère de famille américaine, se découvre agonie d'injures sur Internet. Son crime ? Avoir organisé un anniversaire japonisant pour sa fille. La veille, elle a dispersé des fleurs de cerisier sur la table, servi le thé dans des tasses traditionnelles et troqué les couverts pour d'élégantes baguettes. Les amies de sa fille ont adoré se vêtir de kimonos et se maquiller en geishas. Et bien sûr, elles ont immortalisé l'événement avec leurs téléphones portables, avant de publier leurs photos sur les réseaux sociaux. Mauvaise idée. Une meute de commentaires furieux s'invitent à l'*after* pour gâcher la fête, et vouer la mère de famille aux gémonies.

Un internaute l'accuse de « Yellow face », comme si le fait de se maquiller en geisha pour un anniversaire avait le moindre rapport avec le temps de la ségrégation, où des acteurs blancs se déguisaient en Noirs pour s'en moquer sur scène. On lui reproche de mal éduquer sa fille : « Apprends à tes enfants que ce n'est pas ok ! » Précisons que tous ces internautes offensés sont américains. Les rares intervenants d'origine japonaise se disent effondrés… par ces réactions. L'un d'eux vit au Japon. Il ne comprend pas la fureur de l'indigné qui mène la charge contre cette mère de famille : « Les seules personnes qui pensent que la culture ne devrait pas être partagée sont des racistes comme toi. » Pour lui, « une grande majorité des Japonais aiment que d'autres personnes fassent un effort pour apprécier la culture japonaise.

Ils l'encouragent ». Une remarque approuvée par d'autres : « Cette fête est une façon de faire l'expérience d'une autre culture. »

Déconcerté par le simplisme de l'inquisiteur américain, l'un des internautes japonais s'interroge : « Où mets-tu la limite sur ce qui est "autorisé" ? Si cette fille avait des origines japonaises, est-ce que ce serait ok ? Es-tu autorisé à préparer une pizza seulement si tu vis en Italie ? »

La question fait mouche. Mais la meute fait peur. Terrorisés à l'idée de se faire injurier comme Heidi, de plus en plus de parents consultent en ligne pour savoir ce qu'il est « correct de faire pour Halloween ». La même année, une autre mère de famille écrit sur les réseaux sociaux pour demander à ses amis si elle peut organiser une soirée « Vaiana », en clin d'œil au dessin animé qui célèbre l'héroïne polynésienne. Elle précise que dans sa famille on est « très blancs et très blonds ». S'improvisant chef de famille virtuel, un internaute décrète que la « célébration culturelle » n'est pas l'« appropriation » à condition que les petits ne fassent pas de « brown face » (se foncer le teint). Une autre mère de famille note qu'elle voit beaucoup de petites filles se déguiser en Frida Kahlo pour Halloween, et qu'elle ne « trouve pas ça irrespectueux ». Elle espère juste que ces petites filles savent qui était la peintre « et qu'elle ne se résume pas à un monosourcil et à de belles fleurs ». Rien n'est moins sûr. Au pays du procès en « appropriation culturelle », la culture générale est celle que l'on s'approprie le moins.

Comment expliquer une telle inflammation de polémiques ? L'étincelle vient d'une vision très confuse de l'antiracisme. L'ampleur du lynchage, elle, tient à nos nouveaux modes de débat et au phénomène de meute 2.0. Avec les réseaux sociaux, plus besoin de mouvements, de fabriquer des pancartes ou de descendre dans la rue et le froid pour protester. On peut râler en restant bien au chaud, protégé par l'anonymat. Les motifs d'indignation sont donc logiquement plus nombreux, et parfois aussi plus futiles. Nous ne prenons plus le temps de digérer ou de respirer avant de crier. Au moindre désaccord, à la moindre piqûre – même microscopique – sur nos épidermes, nous hurlons d'un coup de clavier. Surtout si un « ami » virtuel ou un membre de notre tribu numérique mène la charge. Nous nous intégrons en joignant nos cris outrés au cercle des offensés.

Rarement l'identité virtuelle aura autant défini notre identité réelle. D'après Clément Rosset, « l'identité d'emprunt », cette « imitation de l'autre », permet « à la personnalité de se constituer »[1]. La génération actuelle se construit principalement en imitant ceux qui lynchent les autres sur Internet. Avec d'autant plus d'élan qu'intégrer une meute protège. Avec d'autant d'entrain qu'il suffit de se dire « offensé » ou « victime » pour attirer l'attention. D'une étincelle, d'un seul post hurlant à l'appropriation culturelle, pour se faire des amis et se trouver au cœur de

---

1. Clément Rosset, *Loin de moi*, Les Éditions de Minuit, 1999, p. 41.

l'actualité. Peu importe le nombre de loups, puisque la légitimité vient du statut de victime. Rien n'est plus glorieux que d'être le « pot de terre » contre le « pot de fer ».

Ce nouveau rapport de force s'avère plutôt sympathique pour combattre l'injustice, les multinationales, défier les dictateurs et renverser les tyrans. Le revers de la médaille, c'est cette inflation de campagnes absurdes et disproportionnées contre des mères de famille, des people ou des artistes.

L'interactivité numérique oblige la presse en ligne à réagir à tout, toujours plus vite, avec toujours moins de temps pour réfléchir. Au moindre « storytelling » mettant en scène une minorité contre une majorité, il se trouve un site, un blog ou même un média pour relayer la poussée de fièvre. Les journalistes des rédactions numériques en sont particulièrement friands. Pour une raison simple. C'est un sujet facile à écrire, en peu de temps, ludique, et qui fait réagir. De vraies « putes à clics », idéales pour faire grimper le compteur des pages visitées, et donc les ressources d'une presse fragile économiquement.

Si l'on ajoute que plus aucun pigiste, souvent stagiaire, n'a le temps, ni même le réflexe, de trier le *signifiant* de l'*insignifiant*, on comprend le nombre de billets consacrés au moindre émoi. Surtout s'ils concernent des célébrités. Ce qui ne serait pas grave si cette colère n'était pas totalement artificielle, et si cette meute, parfois en réalité groupusculaire, n'obtenait pas presque à chaque fois gain de cause. C'est-à-dire des excuses ou la censure.

L'appropriation culturelle,
ce nouveau blasphème

Une anecdote m'a servi de déclic pour écrire ce livre. Un coup de fil de mon amie Tania de Montaigne. Nous l'avions sollicitée pour la collection que nous dirigeons chez Grasset avec Fiammetta Venner : « Nos héroïnes ». Elle ambitionne de redonner vie à des femmes oubliées. Une vraie relecture féministe de l'Histoire. Tania a choisi Claudette Colvin, l'une des premières femmes noires ayant refusé de céder son siège à un Blanc dans un bus, bien avant Rosa Parks.

Avec ce livre, suivi d'un essai, Tania fera le tour des classes pour combattre à la fois le racisme et l'assignation culturelle[1]. Au moment où elle m'appelle, *Noire* est en voie d'être adaptée au théâtre et doit sortir bientôt en bande dessinée. Un succès qui lui permet d'espérer déciller les regards. Mais une frontière, inattendue, vient de se dresser. J'entends sa voix et je

---

1. Tania de Montaigne, *L'Assignation. Les Noirs n'existent pas*, Grasset, 2018.

reconnais la lassitude qui nous unit face à ceux qui ne voient le monde qu'à travers la couleur de peau, qu'elle soit blanche ou noire.

— Ils ne veulent pas l'appeler *Noire*, me dit-elle, rincée.

— Qui ?

— Une responsable des achats de la maison qui édite la bande dessinée. Elle dit qu'on ne peut pas l'appeler *Noire* pour une vente en langue anglaise.

— Mais pourquoi ? C'est le titre du livre.

— Parce que la dessinatrice est blanche. Ils craignent qu'on les accuse d'appropriation culturelle.

— C'est une blague ?

— J'aimerais tellement, si tu savais.

On éclate de rire. D'un rire qui voudrait crier.

— Mais l'auteure c'est toi, et puis même, le livre traite du racisme anti-Noirs... Comment ils veulent l'appeler... *Blanche* ?!

— Tout sauf *Noire*.

Nous raccrochons, convaincues que ce monde est fou. Identitaire à crever. Précisons que ces vents de panique viennent souvent de salariés blancs préférant anticiper la moindre colère. Pour cette fois, heureusement, l'éditrice a gardé son sang-froid et donné raison aux auteures. Le livre s'appellera donc *Black*. Nous voilà rassurées. Légèrement.

Je cherche néanmoins à comprendre ce début de panique. J'aurais compris que le mot « Noire » pose problème dans une langue habituée à dire

« Afro-Américaine »[1]. Mais ce n'est pas le sujet. Ici, la crainte est qu'une dessinatrice blanche puisse signer un album contre le racisme anti-Noirs. Comme si sa couleur de peau lui interdisait de toucher au sujet.

Je veux bien qu'on se méfie de ceux qui font commerce de l'antiracisme sans sincérité. Ils sont nombreux, et pas tous blancs. Je comprends que l'on puisse reprocher à Rachel Dolezal, une activiste opposée à l'appropriation culturelle, d'avoir fait croire qu'elle était afro-américaine pendant des années, alors qu'elle était WASP de chez WASP, et qu'elle se couvrait d'autobronzant pour passer pour la victime cardinale du racisme qu'elle dénonçait. Reste que des Blancs devraient se sentir autorisés à publier ou illustrer des livres contre le racisme sans que leur couleur de peau leur soit reprochée.

Le but ultime de l'antiracisme n'est pas d'exister comme victime mais d'éradiquer les préjugés. Comment espérer renverser les stéréotypes et faire grandir le cercle des éveillés si l'on poursuit ce vieux réflexe consistant à juger les êtres et les âmes en fonction de leur couleur de peau ?

Dans le cas de cette bande dessinée, cette dessinatrice blanche, Émilie Plateau, a mis tout son cœur et son talent dans cet album, non pas pour espérer

---

1. Il se trouve qu'en France bien des personnes se disant elles-mêmes noires sont plus souvent issues des Antilles que d'Afrique, ou le fruit de mélanges. Le mot « Noir », imparfait, continue donc à être utilisé sans choquer, contrairement à « nègre », clairement raciste et qui a été écarté du vocabulaire commun.

devenir riche (c'est rare dans l'édition française), mais parce que ce texte l'a touchée et qu'elle voulait agir à sa façon. En publiant une bande dessinée tirée du texte de Tania de Montaigne, citée en couverture, elle ne s'approprie pas son œuvre, ou si, mais pour lui rendre hommage. Exactement comme Tania s'approprie la vie de Claudette Colvin, et sa douleur, non pas pour la voler, mais pour la faire connaître aux jeunes générations. Cette appropriation est absolument nécessaire. C'est un partage, qui n'a rien à voir avec un pillage ni avec l'« appropriation culturelle », brandie si abusivement qu'elle en vient à dresser des barrières entre les êtres, à les assigner, quand elle ne censure pas des œuvres.

Et d'ailleurs, qu'entend-on par là ?

Si l'on s'en tient à la référence d'Oxford, l'« appropriation culturelle » désigne « la reprise de formes, de thèmes ou de pratiques créatives ou artistiques par un groupe culturel au détriment d'un autre ». À l'origine, il s'agit de détecter les cas d'« appropriations occidentales de formes non occidentales ou non blanches, à des fins d'exploitation ou de domination ». L'article d'Oxford nous donne l'exemple, précis et convaincant, de musées occidentaux exploitant des artefacts, comme des bronzes du Bénin, souvent acquis dans des conditions douteuses. Dans ce cas, en effet, l'appropriation n'est pas un hommage, mais un pillage.

Le procès en « appropriation » garde son sens si l'on s'en tient à cette définition précise d'Oxford : l'intention d'exploiter ou de dominer. C'est le cas des œuvres pillées par la colonisation, un patrimoine africain que la France restitue au compte-gouttes. Le débat s'égare, gravement, lorsqu'on se met à voir de l'« appropriation » partout, même lorsque l'intention est simplement de célébrer le pluralisme culturel. Jusqu'à refuser l'emprunt ou le mélange, en musique, en cuisine, ou dans la mode. Jusqu'à scléroser le débat d'idées et brimer la création artistique.

Cette dérive, on la doit d'abord au radicalisme séparatiste du *Black feminism*, mais pas seulement. On retrouve ce glissement – faut-il parler d'appropriation ? – chez une avocate blanche, puissante et connue, nommée Susan Scafidi. Professeure à l'université Fordham, sa spécialité est de protéger la mode et les *designers* des copieurs. Une approche commerciale qui va déterminer sa définition du concept d'appropriation culturelle. Au point de lui tailler un costume trop grand dans un livre, *Qui détient la culture ?*, paru en 2005 et qui est cité comme une référence depuis.

Inspirée par sa réflexion professionnelle sur le *copyright*, sa définition s'éloigne du cercle précis tracé par Oxford. Selon elle, l'appropriation culturelle désigne le fait de « s'emparer de la propriété intellectuelle, du savoir traditionnel, des expressions culturelles, des artefacts de la culture d'un autre sans sa permission ». Mine de rien, en quelques mots, nous avons perdu l'*intention* de « dominer » ou d'« exploiter ». Ce qui est pourtant crucial.

Il suffit désormais qu'un groupe emprunte « la culture d'un autre » pour commettre, en soi, un acte de domination culturelle. Cela inclut, toujours selon cette avocate, « l'emploi non autorisé de la danse, la manière de s'habiller, la musique, la langue, le folklore, la cuisine, la musique tradition-nelle et les symboles religieux », les « objets sacrés » étant élevés au rang de culture intouchable. C'est au nom de cette vénération que la marque de sous-vêtements Victoria's Secret se verra reprocher d'uti-liser des coiffes indiennes – jugées sacrées – pour ses mannequins.

Dans un tout autre registre, suivant cette logique, les dessinateurs athées de *Charlie Hebdo* n'ont pas le droit de représenter Mahomet, sans commettre le double péché de blasphème et d'« appropriation culturelle ». Ce qui peut leur valoir d'être désignés à la vindicte cumulée des fanatiques et de certains antiracistes, d'être lynchés en place publique, avant d'être assassinés.

Comme si elle pressentait avoir ouvert la boîte de Pandore, Susan Scafidi précise tout de même qu'« il y a plus de chances que ce soit dommageable quand la communauté d'origine est une minorité qui a été opprimée ou exploitée, ou quand l'objet de l'appro-priation est particulièrement sensible, comme c'est le cas avec les objets sacrés[1] ». À bien la lire, toutefois, un hommage culturel reste potentiellement classé comme une appropriation culturelle, simplement moins grave.

---

1. Susan Scafidi, *Who Owns Culture ? Appropriation and Authenticity in American Law*, Rutgers University Press, 2005.

Cette nuance n'a aucune chance de surnager dans une époque où les réseaux sociaux s'emballent. La porte est donc ouverte à tous les excès. Puisque le critère n'est plus l'*intention* – vouloir exploiter ou dominer –, le seul fait de mélanger les inspirations culturelles devient suspect. La gauche identitaire vient d'inventer un nouveau procès d'intention proche du procès en blasphème.

Madonna au bûcher

« Like a Prayer » a mis le feu à mon imaginaire d'adolescente. Dans ce clip, la Madone de la pop se déhanche façon gospel en robe pourpre, échancrée à se damner. Défiant les croix en feu du Ku Klux Klan, elle libère de sa prison un Christ noir, injustement arrêté, et l'embrasse fougueusement. Un manifeste incandescent, presque liturgique, contre le racisme. Il lui a valu d'être la bête noire de la droite religieuse et suprémaciste.

Nous sommes en 1989, l'année de tous les bûchers, celle de l'affaire Rushdie et de l'affaire Scorsese. Des intégristes chrétiens ont juré de brûler *La Dernière Tentation du Christ* pour blasphème. Un cinéma a même été incendié à Saint-Michel. « Like a Prayer » arrive comme une boule de feu. Le pape en personne appelle à boycotter Madonna. Des catholiques déchaînés font pression sur les sponsors de la chanteuse. Pepsi se retire de sa tournée. La Madone s'en fiche. Auréolé de soufre, son titre caracole en tête des *charts* mondiaux. L'époque raffole des provocations défrisant les coincés. Rien n'est plus rock que d'être voué au bûcher.

Trente ans plus tard, changement de disque, et d'époque. Cette fois, la Madone n'est plus mise à l'index par des conservateurs pour « blasphème », mais par des progressistes qui la maudissent pour « appropriation culturelle ». À la suite d'un hommage raté à Aretha Franklin lors des MTV Awards.

La reine de la soul vient de mourir. La reine de la pop monte sur scène dans une tunique berbère insolite, chargée de bijoux argentés et de bracelets colorés, le front paré de tresses blondes. On lui reproche moins sa tenue que d'avoir parlé autant d'elle. Un long, très long monologue où elle raconte ses années de galère à Detroit. Une ville où elle a grandi, comme Aretha Franklin. Était-ce judicieux de comparer leurs ghettos, certainement plus violent pour une jeune Noire que pour une jeune Blanche ? Dans l'esprit de Madonna, il s'agit juste d'évoquer leurs points communs. Mais l'anecdote a duré.

On peine à trouver le lien entre sa tenue berbère et les tenues chics, très occidentales, d'Aretha Franklin. Il n'y en a pas. C'est tout simplement la parure du dernier album de la chanteuse, sa dernière fantaisie en matière de look. Mais ce look, et plus encore ses tresses dites « africaines », lui sont reprochés. On a bien le droit de la trouver plus excitante en nuisette pourpre. Faut-il pour autant la lyncher pour « appropriation culturelle » ? On lui reproche désormais de s'inspirer d'autres cultures ? Quelle musique ne s'inspire pas des autres ?

L'écrivain anglais d'origine indienne Kenan Malik est l'un des premiers à voir dans l'appropriation culturelle « une version sécularisée du blasphème[1] ». Lui plaide pour le mélange façon Elvis Presley. Il n'y a pas si longtemps, rappelle-t-il, les radios blanches refusaient de passer les titres des pionniers du rock'n'roll, comme Chuck Berry, classé musique « ethnique ». Advint le King. Le rockeur blanc a démocratisé le rock et l'a sorti du ghetto. Aussi injuste soit-il, il a fallu cet emprunt pour reconnaître, plus tard, l'apport des rockeurs noirs. « Imaginons qu'Elvis ait été dissuadé de s'approprier cette musique soi-disant noire. Cela aurait-il fait reculer le racisme ou les lois Jim Crow ? Certainement pas », persiste Malik.

La ségrégation musicale n'a jamais fait reculer le moindre préjugé. C'est au contraire le mélange, la source même de la créativité, qui permet de composer un monde commun. On a également reproché aux Rolling Stones d'avoir pillé le répertoire de bluesmen noirs restés dans l'ombre. Muddy Waters, qui fait partie des « pillés », a eu cette phrase géniale à leur sujet : « Ils m'ont volé ma musique, mais ils m'ont donné mon nom. » Sans les Stones, le blues n'aurait jamais franchi les portes du ghetto. Dans quel monde vivrions-nous si le blues était considéré comme une « musique noire » et ne passait que sur des radios « noires » ? À quoi ressemblerait la pop si Madonna ne s'était pas inspirée du Voguing – ce mouvement issu du ghetto gay et latino – ou du gospel ? Si elle écoutait les critiques et limitait son inspiration ?

---

1. Kenan Malik, « In Defense of Cultural Appropriation », *The New York Times*, 14 juin 2017.

Heureusement pour nous, la Madone s'en fiche. « Oh, they can kiss my ass » (Ils peuvent aller se faire voir), a-t-elle déclaré au *Huffington Post* : « Je ne m'approprie rien du tout. Je suis inspirée et je fais référence à d'autres cultures. C'est mon droit comme artiste. On a dit qu'Elvis Presley avait volé la culture afro-américaine. Mais c'est notre boulot, à nous les artistes, de mettre le monde sens dessus dessous, pour que tout le monde se sente déconcerté et s'oblige à tout repenser[1]. » Bien envoyé.

Madonna peut se le permettre. Elle a de la bouteille, de la ressource, et une carrière bien remplie. Quelle jeune chanteuse aura encore ce courage ? Contrairement aux chasses aux sorcières lancées du temps de « Like a Prayer », les pierres de l'« appropriation culturelle » sont jetées par de jeunes libéraux, plus très rock, qui lynchent et boycottent au moindre soupçon. Aucun jeune artiste, encore moins une marque, ne peut se permettre d'ignorer leurs oukases numériques. Une maison de disques l'obligera à se confondre en excuses au moindre *buzz* négatif.

Parfois, ces procès rattrapent les artistes jusque dans leur tombe. On pense à Johnny Clegg, le plus afro des chanteurs blancs sud-africains. L'auteur du mythique « Asimbonanga », un chant contre l'apartheid qui faisait swinguer Nelson Mandela, n'a pas reçu que des fleurs à son enterrement. Alors que

---

1. Matthew Jacobs, « From Hell And Back, Madonna Lives To Tell », *Huffpost*, 13 mars 2015.

l'ANC lui rendait un hommage vibrant, il s'est trouvé des activistes français et américains pour l'accuser d'avoir vécu de l'appropriation culturelle.

Décidément, il ne fait pas bon aimer la culture des autres quand vous êtes blanc. Comme l'écrit l'essayiste Fatiha Boudjahlat : « Vous n'aimez pas, vous êtes raciste. Vous aimez, vous êtes raciste. » Elle conclut à l'impasse absolue, dans une époque sens dessus dessous : « De nos jours, Mandela serait qualifié de nègre de maison. »

Tresses maudites

On ne compte plus le nombre de people obligés de se confondre en excuses pour avoir osé une coiffure afro, des dreadlocks ou de simples tresses dites « africaines ». Pourtant habituée à provoquer, Kim Kardashian s'est pétrifiée après une volée de bois vert pour une photo en tresses blondes signée « Bo West ». Un clin d'œil à l'actrice Bo Derek, qui a eu la chance de passer de mode avant l'époque du procès en « appropriation culturelle ». Des crises de folie qui ne défrisent pas que les cheveux et ne visent pas que les Blancs. Rihanna s'est vu prendre en chasse pour avoir posé avec une coiffe égyptienne, façon Nefertiti, pour *Vogue Arabia*. Pharrell Williams n'était plus si « *happy* » après s'être fait mithridatiser pour avoir posé en couverture de *Elle* en coiffe indienne. Il ne faudrait pas qu'un chanteur afro-américain se prenne pour un Amérindien… Lana Del Rey a frôlé la lapidation pour avoir repris les codes de l'esthétique Chola – l'univers des ghettos latinos – dans son court-métrage *Tropico*. Tous ont exprimé des regrets.

La palme de l'excuse la plus pathétique revient à la chanteuse Katy Perry, elle aussi pour avoir posté une photo en tresses blondes sur Instagram. Son look évoque plutôt la coiffe ukrainienne, à la rigueur Khaleesi, la mère des dragons dans *Game of Thrones*. Mais comme les Ukrainiens sont un peu occupés avec les Russes, et que les Dothrakis sont mal représentés dans la vie réelle, les professionnels du procès en « appropriation culturelle » lui ont plutôt demandé de s'excuser auprès des Afro-Américains.

Les commentaires désagréables s'accumulant sur Internet, l'entourage de la chanteuse a souhaité une interview contrition avec un activiste du mouvement Black Lives Matter, où la chanteuse s'est presque flagellée en direct pour avoir osé porter des tresses malgré ses « privilèges de femme blanche ». « Ce n'était pas bien », expie-t-elle, la larme constamment à l'œil. Elle raconte n'avoir pas eu conscience de la gravité de son geste. Jusqu'à ce qu'une amie noire la remette dans le droit chemin : « Mon amie m'a expliqué ce qu'il en était du pouvoir de la coiffure africaine, à quel point elle est belle et demande de l'énergie. » On passera sur la glorification de la beauté noire sur un mode exotique. On retiendra que les femmes blanches n'ont pas l'énergie requise... pour porter des tresses ukrainiennes ?

La suite de l'entretien est encore plus consternante. D'une voix chevrotante, Katy Perry explique le plus sérieusement du monde que la couleur de son épiderme l'empêche de s'identifier à une femme noire portant des tresses : « Je ne pourrai jamais comprendre ce que cela représente, à cause de qui je suis. Mais je peux essayer de m'éduquer. » Une demande de rééducation approuvée par l'activiste de Black Lives Matter qui la confesse. Elle le touche d'ailleurs régulièrement, comme un totem, afin d'obtenir son approbation. Précisons que Katy Perry a donné cette interview les cheveux quasiment rasés, blonds tachés de bleu. Les Schtroumpfs n'ont pas porté plainte pour « appropriation culturelle ». Même problème que pour les Dothrakis... Manque de représentation dans la vie réelle.

Au final, la vidéo dure deux minutes interminables, qui mettent furieusement mal à l'aise. Toute la mise en scène est affligeante. On dirait le confessionnal d'une secte. Une sorte de Ku Klux Klan inversé. Où les maîtres de cérémonie apprendraient aux jeunes filles blanches à ne jamais s'identifier aux Noirs et à leurs tresses sacrées.

La chasse à courre ne s'arrête pas aux coiffes. Assoiffés de pureté, les inquisiteurs traquent aussi les « influenceuses » qui auraient l'audace de trop bronzer ou de grossir leur fessier pour avoir l'air plus « black ». Une tendance dénoncée sous le nom de *nigger fishing* : « pêche aux Noirs ». Celles qui posent en trompant leurs véritables origines sont insultées et sommées de détailler leur ADN.

Jadis, les Blancs évitaient de bronzer pour ne surtout pas ressembler aux métis. On cultivait le teint porcelaine comme un signe d'appartenance à la haute société. Ne faut-il pas se réjouir de voir le teint métissé à la mode ? N'est-ce pas la preuve que « Black is beautiful » a triomphé ? Pourquoi s'en plaindre ? Il vaudrait mieux lutter contre les produits blanchissant la peau et la mode consistant à se défriser les cheveux quitte à les ruiner. Le combat contre la haine de soi est certainement plus urgent que de se battre contre l'amour des autres.

On en rirait si cette traque n'avait pas fait couler tant de signes et de larmes sur Internet. « Ta star préférée est problématique », un site consacré à tacler ses stars préférées, souvent pour appropriation culturelle, a fini par ne plus supporter ses propres lecteurs. Après avoir lapidé plus de soixante-dix-sept vedettes, le site a fermé en laissant ce mot à ses fans : « *Get a life.* » Trouve-toi une vie.

Fait rassurant, il arrive que des internautes écrivent pour dire combien ces polémiques leur paraissent ridicules. En France, ce sont même plutôt ces polémiques qui font polémique. Notamment lorsque des inquisiteurs 2.0 ont eu l'idée saugrenue de s'en prendre à Camélia Jordana pour ses dreadlocks à la soirée des Césars. Ce soir-là, la comédienne d'origine algérienne, qui est aussi chanteuse, monte sur scène pour recevoir le César du meilleur espoir féminin. Un trophée qu'elle dédie à sa mère ayant quitté l'école trop tôt, et à tous ceux qui surmontent les obstacles, notamment du racisme. Un message qui n'a visiblement pas ému les policiers du look. La tempête est vite retombée. Contrairement aux stars américaines, Camélia Jordana ne s'est pas excusée.

Le créateur Marc Jacobs, lui, a dû s'y plier. Pour avoir coiffé ses mannequins de dreadlocks de toutes les couleurs, ébouriffées et revisitées : « Je m'excuse pour le manque de sensibilité dont j'ai fait preuve sans le savoir. » Il ajoute vouloir croire à la liberté de créer. Mais alors pourquoi s'excuser, puisque l'intention n'est pas de moquer ?

Si l'on devait adresser un reproche à la mode, ce serait le manque de mannequins métis, noirs ou bien portants dans ses défilés, pas de crêper les cheveux de ses mannequins blancs. La mode des cheveux afro sur les podiums peut encourager des générations de femmes à cesser de les lisser et de les abîmer ! Ce serait plutôt un progrès. Mais le progrès n'est pas l'objectif des inquisiteurs en « appropriation culturelle ». Leur but est d'exister. Or exister, de nos jours, c'est se dire « offensé ».

Une posture, presque un métier, où excelle Rokhaya Diallo, grande importatrice de polémiques en « appropriation culturelle ». Activiste professionnelle, mannequin bijoux à l'occasion, elle ne manque jamais une occasion de s'indigner « en tant que femme noire », pour ensuite se plaindre d'être réduite à sa couleur de peau. Horrifiée de voir des Blanches défiler avec des coupes afro, elle en réclame le copyright. Son rêve ? Que les stylistes africaines, voire les coiffeuses africaines du quartier du Château d'Eau, soient « créditées » pour ces coupes[1]. Sans que l'on sache exactement comment répartir le pourcentage. Faut-il rémunérer seulement les coiffeuses noires, toutes les femmes noires portant des coupes afro, ou seulement leur porte-parole improvisée ?

Bien des cultures célèbrent les tresses fines, plus probablement d'origine indienne ou égyptienne avant d'être africaines ou jamaïcaines. Au nom de quoi des femmes noires des États-Unis ou d'Europe seraient-elles les seules à pouvoir revendiquer ce copyright ? Parce qu'elles vivent dans des pays riches et puissants ? N'est-ce pas une forme d'impérialisme culturel ? Auteure de *L'Assignation*, sous-titrée *Les Noirs n'existent pas*, Tania de Montaigne n'en finit plus de combattre cette vision uniforme et exotique de l'identité. Elle ne comprend pas que l'on puisse ainsi parler au nom de toutes les femmes noires : « Entre Michelle Obama et une migrante érythréenne, je ne sais pas ce qu'est une femme noire[2] ! »

Une subtilité qui semble échapper aux inquisiteurs de la nouvelle génération. En tout cas à un groupe fondé par des étudiantes de Sciences Po : les « SciencesCurls ». Ses militantes ne se battent pas pour protéger la planète, les espèces en danger, ou réduire les inégalités. Non, elles ont d'autres priorités : « Promouvoir les beautés marginalisées

---

1. « Hommage ou pillage ? », entretien réalisé par Emmanuelle Courrèges, *L'Express Style*, 23 novembre 2016.
2. Entretien réalisé par Clément Pétreault, *Le Point*, 24 mai 2018.

et discriminées à Sciences Po, à travers le prisme du cheveu texturé. » L'extrême droite monte de partout en Europe, des attentats sont commis presque chaque mois par des suprémacistes blancs ou islamistes, le climat se dérègle, mais l'angoisse existentielle qui mérite à leurs yeux de former un groupe, c'est LEURS cheveux texturés. Et le fait d'interdire aux femmes blanches de se coiffer comme elles.

Sa fondatrice trouve totalement « offensant » qu'une Blanche puisse se crêper ou se tresser les cheveux : « C'est offensant parce que ces réalités culturelles sont complètement effacées et deviennent un amusement. C'est-à-dire que ma culture devient un déguisement. Ça veut dire qu'on peut rentrer dedans, en ressortir, c'est extrêmement violent. » On cherche, après avoir lu cette phrase, quel superlatif choisir pour qualifier la violence de l'apartheid ou de la ségrégation. Sur l'échelle de Richter des épidermes douillets, les drames semblent tous avoir la même gravité, qu'il s'agisse d'un génocide ou d'une coupe de cheveux. Le plus terrifiant reste cette phobie du mélange culturel. Considérer comme « extrêmement violent » le fait de pouvoir « entrer » et « sortir » d'une culture. Comme s'il s'agissait d'un viol. Et non d'un métissage.

Traumatisés à l'idée que des Blancs adoptent des coupes afro, les mêmes trouvent normal que des étudiantes blanches s'essayent au voile islamique le temps d'un « Hijab Day ». Une initiative imaginée par des cercles intégristes et reprise par des étudiants de Sciences Po. Le temps d'une journée, ils ont proposé à leurs camarades d'essayer la « modestie » *(sic)*[1]. Bizarrement, aucun des inquisiteurs habituels n'y a vu la moindre « appropriation culturelle ».

---

1. Nicolas Rinaldi, « "Hijab Day" à Sciences Po Paris : un rendez-vous manqué mais une provoc' réussie », *Marianne*, 20 avril 2016.

La censure d'œuvres antiracistes

Les détracteurs de l'appropriation culturelle ne se contentent pas de pourchasser les stars, les marques ou les défilés de mode. Il arrive qu'ils exigent la censure d'œuvres antiracistes !

C'est arrivé à l'artiste Dana Schutz et à son tableau *Open Casket*. Il s'inspire d'une photo célèbre, prise en 1955 pour dénoncer les violences à l'encontre d'un jeune Noir. Emmett Till, quatorze ans, vient d'être battu à mort. Sa mère demande que l'on garde son cercueil ouvert : « Il faut que les gens voient ce qu'ils ont fait à mon garçon. » L'image de son visage défiguré bouleverse. Qu'une artiste, a fortiori blanche, veuille reprendre cette alerte, soixante et un ans plus tard, prouve que cette mère a eu raison de montrer le visage défiguré de son fils. Une intelligence politique qui s'est perdue.

Sitôt exposé à la biennale du Whitney Museum de 2017, le tableau *Open Casket* fait scandale. « Cette peinture doit s'en aller ! » clament plusieurs écrivains afro-américains dans une lettre parue dans la presse. Parmi eux, Hannah Black exige que l'œuvre soit carrément « détruite » : « La peinture ne devrait pas être acceptée par quiconque se soucie ou feint de se soucier des Noirs, car il n'est pas acceptable qu'un Blanc transforme la souffrance des Noirs en profit et en amusement[1]. » Quel amusement ?

À lire cette lettre inquisitrice, ce cercueil ouvert ne s'adressait qu'aux Noirs : « Till a été mis à la disposition des Noirs à titre d'inspiration et d'avertissement. Les non-Noirs doivent accepter de ne jamais incarner et de ne pas comprendre ce geste. » Cette phrase est glaçante. Du seul fait de sa couleur de peau, cette écrivaine se permet de parler à la place d'une mère qui a perdu son fils, et de refermer le cercueil qu'elle avait ouvert de façon politique. Du seul fait de sa couleur à elle, l'artiste-peintre blanche est jugée incapable de ressentir la douleur de cette mère. Sa sensibilité au racisme lui est niée, voire reprochée ! En prime, on veut détruire son tableau.

Les jours suivants, des manifestants ont menacé de boycotter la biennale. On refuse régulièrement d'exposer ce tableau par peur de la polémique et des représailles. Le monde artistique a reçu le message : ne dénoncez plus la souffrance des minorités, sinon vous finirez accusé ! C'est le sort subi par le sculpteur californien Sam Durant. Son installation, *Scaffold*, dénonçait la pendaison de trente-huit Indiens du Dakota en 1862. L'œuvre était exposée au

1. Alex Greenberger, « "The Painting Must Go" : Hannah Black Pens Open Letter to the Whitney About Controversial Biennial Work », *Art News*, 21 mars 2017.

Walker Art Center de Minneapolis. Des Amérindiens n'ont pas aimé qu'un Blanc raconte ce qu'ils considèrent comme LEUR histoire. Après des mois de protestations et de reproches, le sculpteur a craqué. Il a démonté son œuvre.

Les inquisiteurs de l'appropriation culturelle fonctionnent comme les intégristes. Leur but est de garder le monopole de la représentation de la foi, en interdisant aux autres de peindre ou dessiner leur religion. C'est le propre des dominants de fonctionner ainsi. Dans le cas de l'appropriation culturelle, des écrivains, parfois des artistes ou des activistes, jouent de leur statut de minoritaire pour mieux imposer leur vision et leur monopole interprétatif.

La création des uns n'empêche pas celle des autres. Pourtant, ces activistes préfèrent interdire que créer à leur tour. Un droit qu'ils pensent tenir de leur idée génétique, jugée supérieure en raison des souffrances de leurs ancêtres. Ces souffrances subies par d'autres leur permettent d'opprimer autrui. Un confort de tyran. Ce n'est pas « l'art dégénéré » des nazis, mais un art censuré au nom de la génétique. Une censure raciste. Il n'y a pas d'autre mot pour désigner le fait de vouloir interdire une œuvre en raison de la couleur de peau de son créateur.

Heureusement, il arrive que d'autres antiracistes y résistent.

Ce fut le cas lorsqu'un vent mauvais s'est levé contre *Exhibit B*. Une exhibition pensée pour dénoncer la tradition des « zoos humains » par un artiste sud-africain blanc, Brett Bailey. Son objectif ? Nous mettre mal à l'aise en nous forçant à déambuler devant une série de tableaux vivants. Des performances qui dépeignent l'horreur coloniale et esclavagiste. Une « Vénus noire » présentée comme un phénomène de foire, une « odalisque » qui se tient nue sur le lit d'un officier français à Brazzaville. Une autre porte un panier rempli de mains coupées par le colonisateur belge. Ce qui arrivait aux esclaves qui ne rapportaient pas leur quota de latex. On l'apprend grâce à l'exposition. Mieux, on sent la rage monter en nous, et le dégoût. C'est la force d'une œuvre. Vous faire sortir de vous-même, pour vous mettre à la place de l'autre. Un voyage qui échappe totalement aux littéralistes de l'identité.

Rassurez-vous. Ils n'ont pas vu l'exposition avant d'exiger sa censure. Tout est parti d'un simple article. Pendant des mois, l'exposition a été organisée sans problème, de Vienne à Bruxelles en passant par Paris. Tout change après une critique du *Guardian* qui la juge risquée et « controversée[1] ». Les galeries sont rarement courageuses outre-Manche. Juste après les attentats de Londres en 2005, le directeur de la Tate Gallery s'est empressé de déprogrammer une exposition satirique prévue sur le Talmud, le Coran et la Bible. À Paris, ce type de censure fait scandale. Ce qui ne veut pas dire que des petits groupes s'inspirant de l'antiracisme anglo-saxon n'essaient pas d'importer cette terreur culturelle.

---

1. John O'Mahony, "Edinburgh's Most Controversial Show : *Exhibit B*, a Human Zoo", *The Guardian*, 11 août 2014.

Voyant l'installation *Exhibit B* revenir sur Paris en novembre 2014, la Brigade anti-négrophobie a battu le rappel pour manifester devant le Théâtre Gérard Philipe de Saint-Denis, jusqu'à renverser les barrières de sécurité, prendre à partie les spectateurs et obtenir son annulation. Les interviewés reprochent à son créateur d'être blanc, et de montrer des Noirs en situation de victimes. N'est-ce pas nécessaire pour dénoncer les « zoos humains » ? Spécialiste du sujet et de l'histoire coloniale, Pascal Blanchard se dit effondré par cet épisode : « On a presque conclu que seul un Noir pouvait comprendre le racisme[1]. »

Malgré les intimidations, la performance a bien eu lieu, mais ailleurs, grâce au courage du Centre dramatique national de Saint-Denis et du Centquatre, et sous tension. Son producteur-tourneur a tenu bon : « Nous avons joué tous les soirs. Avec les CRS devant le théâtre pour protéger les spectateurs. » Ce qui le désole le plus ? « L'impossibilité de monter un débat structuré avec les gens qui nous attaquaient. Nous l'avons proposé mais, au fond, personne n'avait envie d'entendre nos voix, celles de l'artiste et de ses soutiens[2]. »

Refusant le dialogue, les manifestants n'ont cessé de camper devant l'entrée de l'exposition. À cause d'eux, le Centquatre a pris des allures de clinique

1. Guillaume Gendron, « Tous coupables d'appropriation culturelle ? », *Libération*, 23 décembre 2016.
2. Emmanuel Tellier, « Peut-on parler de moi sans moi ? », *Télérama*, 18 septembre 2018.

américaine cernée par des militants anti-avortement. Les rares spectateurs ont dû visiter l'installation sous protection. Parmi eux, Lilian Thuram, célèbre footballeur connu pour son engagement contre le racisme, a tenu à juger par lui-même. À sa sortie, ému, il apporte tout son soutien à l'artiste et à *Exhibit B*, qu'il trouve « très fort et très dérangeant ». Des organisations antiracistes connues pour leur dérive victimaire, comme la LDH ou le MRAP, ont également soutenu l'exposition.

C'est l'une des premières fois qu'une campagne de censure pour cause d'« appropriation culturelle » défrayait la chronique en France. À l'exception des extrémistes identitaires, elle a fait l'unanimité contre elle. Jusqu'à quand ?

Vrais « blackfaces » et faux procès

Le « blackface » est un sujet traumatique aux États-Unis. Se grimer le visage en noir vient d'une tradition sordide du théâtre populaire américain, le *minstrel show*, où l'on moquait les minorités pour faire rire les spectateurs. Jusque dans les années 1930, il était courant de caricaturer les personnages selon leur identité : le Juif vénal, l'Irlandais alcoolique, l'Italien suave, l'Allemand bourru ou le paysan péquenaud. Ce n'est que tout récemment, dans l'histoire des hommes, que l'on rit des racistes et des intolérants. Du temps de la ségrégation, les Noirs ont eu droit à des caricatures particulièrement abjectes. Des acteurs blancs se noircissaient le visage, se dessinaient de grosses lèvres rouges, pour les ridiculiser.

Un comédien anglais, Lewis Hallam Jr., est considéré comme l'importateur du « blackface » aux États-Unis. Une pièce nommée *The Padlock*, où il joue un serviteur venu des Caraïbes constamment ivre, remplit les salles de New York en 1769. Un tel succès que d'autres comédiens, britanniques et américains, se mettent à l'imiter.

Le « blackface » reste associé à l'acteur « Daddy Jim Crow », si célèbre qu'il donnera son surnom aux lois ayant restauré la ségrégation. Raviver cette tradition peut froisser, à raison.

On peut difficilement se maquiller « en noir » aux États-Unis sans connaître cette histoire. En 2018, une célèbre présentatrice américaine, Megyn Kelly, a perdu son émission sur NBC… pour avoir approuvé des parents d'élèves qui ne voyaient pas de mal à faire un « blackface » pour Halloween. Ses excuses n'ont pas suffi. Une semaine après le début de la polémique, elle n'était plus à l'antenne. On comprend que l'Opéra de Chicago ait remplacé le rôle du serviteur noir alcoolique par un serviteur irlandais alcoolique au moment de reprendre *The Padlock* en 2007. Les Irlandais auraient pu se sentir offensés, mais le sujet reste moins sensible et donc moins risqué.

La peur des réactions de la communauté afro-américaine va parfois jusqu'à réviser l'histoire. L'Opéra national de Londres et le Metropolitan de New York ont banni l'usage du maquillage noir pour jouer *Otello* de Verdi. Des voix se sont même élevées pour exiger que le rôle soit interprété par un ténor noir… alors qu'Otello est un général *maure*, c'est-à-dire arabe. Est-ce l'avenir du théâtre ? Réécrire les pièces, les personnages et l'Histoire par peur d'offenser ? C'est l'étape qui suit logiquement l'intimidation. Si les inquisiteurs modernes ne dissuadent pas les autres de parler de *leur* histoire, c'est bien pour pouvoir la réécrire et la confisquer. Parfois la manipulation va jusqu'à s'approprier l'histoire des autres.

C'est le cas lorsque des afro-centristes en viennent à se persuader que les pharaons égyptiens étaient noirs. Dans une version complotiste, les égyptologues blancs auraient même cassé le nez du sphinx, des momies et des statues, pour cacher ce secret ! Quelques extrémistes y croient. En 2019, des membres de la Ligue de défense noire africaine ont ainsi exigé l'interdiction d'une exposition sur Toutânkhamon et son fameux masque d'or… Non pas pour « blackface » mais pour « whitening ». Blanchiment ! Convaincus que le célèbre pharaon était noir, ils accusent le commissaire de l'exposition de vouloir cacher ses origines africaines. Tout scientifique venant contredire leur fantasme est immédiatement disqualifié comme raciste. Un délire qui atterre les égyptologues comme Bénédicte Lhoyer : « Cette théorie est évidemment farfelue, car il y avait toutes les variantes de couleur de peau possibles chez les Égyptiens[1]. » L'analyse des ADN de l'époque le confirme. Que pèse la réalité scientifique et historique au regard des passions actuelles ? Cette génération d'activistes n'est plus capable d'imaginer que les Égyptiens, du temps des pharaons, étaient plus ouverts et métissés qu'eux.

L'exposition Toutânkhamon a bien eu lieu. À Paris, la censure l'emporte rarement. Ce qui ne veut pas dire que cette vigilance va durer. Des fissures apparaissent.

---

1. « Toutânkhamon, nouvelle victime du complotisme », propos recueillis par Laureline Dupont, *Le Point*, 11 avril 2019.

Les Suppliantes, une pièce d'Eschyle, devait être jouée le 25 mars 2019 à la Sorbonne, par la compagnie Démodocos, spécialisée dans l'interprétation des tragédies grecques. Elle raconte le périple des Danaïdes, un peuple venu d'Égypte et de Libye pour demander asile aux Grecs. En plein débat sur les réfugiés, alors que des milliers de migrants meurent en mer Méditerranée, le thème n'a pas été choisi par hasard. La pièce peut éveiller les consciences. Ce message n'intéresse guère les « antiracistes » ayant attaqué le spectacle. La représentation n'a pas eu lieu. Une cinquantaine de manifestants identitaires noirs ont empêché les comédiens et les comédiennes de se préparer, violemment. Certains ont été séquestrés et en pleuraient. En cause ? L'utilisation de masques pour jouer les Danaïdes, comme dans la tradition antique.

Dans la pièce, quelles que soient leur couleur de peau et leur identité réelle, les acteurs interprétant les Grecs portent des masques blancs, et ceux jouant les Danaïdes se peignent le visage pour le recouvrir d'un masque cuivré. Les traits dessinés pour évoquer des migrants libyens et égyptiens sont suggestifs. On peut les trouver grossiers, en discuter – certainement pas ramener cette tradition hellénique à un vulgaire « blackface ». C'est le problème de lire par le prisme de la ségrégation. On finit par imposer une vision américano-centrée et anachronique.

C'est bien le drame des militants de la Ligue de défense noire africaine, de la Brigade anti-négrophobie et du CRAN, qui militent en France comme s'ils vivaient aux États-Unis.

Choqué par leur violence, le metteur en scène leur a répondu par un message magnifique, qui défend l'art comme un antidote à l'assignation : « Le théâtre est le lieu de la métamorphose, pas le refuge des identités. Le grotesque n'a pas de couleur. Les conflits n'empêchent pas l'amour. On y accueille l'Autre, on devient l'Autre parfois le temps d'une représentation. Eschyle met en scène à l'échelle du monde. Dans *Antigone*, je fais jouer les rôles des filles par des hommes, à l'antique. Je chante Homère et ne suis pas aveugle. J'ai fait jouer les Perses à Niamey par des Nigériens (c'est dans le dernier film de Jean Rouch), ma dernière Reine perse était noire de peau et portait un masque blanc. »

En quelques lignes, l'artiste a su faire tomber le masque de ses détracteurs. À la différence de Londres ou de New York, tout Paris se porte à son secours. Le président de la Sorbonne dénonce « solennellement » ce qui s'est passé : « Empêcher, par la force et l'injure, la représentation d'une pièce de théâtre est une atteinte très grave et totalement injustifiée à la liberté de création. C'est aussi un procès d'intention et un contresens total contre lesquels Sorbonne Université s'élève avec la plus grande fermeté. » Souhaitant que la pièce reprenne au plus vite, l'université n'a pas de mots assez durs envers ceux qui l'ont censurée : « Ceux qui l'ont entravée ne montrent que leurs réflexes de repli sur soi et d'exclusion. »

C'est aussi l'avis du gouvernement. Dans un communiqué commun, les ministres de l'Enseignement supérieur et de la Culture condamnent « fermement cette atteinte sans précédent à la liberté d'expression et de création dans l'espace universitaire ». Parmi les nombreux soutiens qui se manifestent, Vigilance universités, un réseau d'enseignants du supérieur et de chercheurs, s'est même créé pour dénoncer ce genre de censure. Il condamne « fermement cette nouvelle intervention de l'idéologie radicale racialiste à l'université[1] ». La presse, de droite comme de gauche, va dans ce sens[2]. Pourtant, une première brèche laisse penser que la France commence à faiblir et à s'américaniser. Les censeurs des *Suppliantes* ont désormais des alliés, qui vont bien au-delà des groupuscules habituels.

Le plus vieux syndicat de jeunesse de la gauche, l'UNEF, a basculé. Les signes couraient depuis longtemps. Après avoir soutenu le Hijab Day à Sciences Po, le syndicat a élu une présidente voilée à Paris IV. Précisément l'université où le syndicat s'est mis à soutenir cette demande de censure. Depuis quelque temps déjà, le vocabulaire du syndicat s'est mis à déraper. Il n'est plus question que de « racisés » ou de « racisme d'État », quand il n'accuse pas les laïques et les « féministes » du péché d'« islamophobie ». Un vocabulaire marqué, et un revirement historique.

---

1. « Pièce d'Eschyle censurée : le contresens d'un antiracisme dévoyé », Vigilance universités, site de *Libération*, 2 avril 2019.
2. Suite à cette actualité, *Marianne* publie de nombreux articles et un très bon dossier : « L'offensive des obsédés de la race, du sexe, du genre, de l'identité… », Étienne Girard et Hadrien Mathoux, *Marianne*, 12 avril 2019.

À l'origine, l'UNEF défendait la laïcité, contre les intégristes et les anti-avortement. Ses militants se battaient surtout pour améliorer les conditions de vie des étudiants. Mais ça, c'était avant. Avant la montée des revendications identitaires chez les étudiants. Touché par la crise du syndicalisme et la fin annoncée des idéologies, le syndicat a vu ses résultats électoraux s'effondrer. Une proie facile à noyauter. L'UNEF a même officiellement conclu plusieurs alliances électorales locales avec Étudiants musulmans de France, un satellite représentant le courant politico-fondamentaliste des Frères musulmans en France. Leur mentor n'est autre que Tariq Ramadan, prédicateur frériste, mis en examen pour viols.

Les références du syndicat ne sont plus trotskistes, mais bien identitaires et indigénistes. Il ne s'agit plus de se battre contre le capitalisme ou l'intégrisme, mais de faire interdire des pièces de théâtre comme *Les Suppliantes* ou de se mobiliser contre les lectures du livre posthume de Charb : *Lettre aux escrocs de l'islamophobie qui font le jeu des racistes*[1].

Il faut dire que le texte de l'ancien rédacteur en chef de *Charlie Hebdo*, écrit juste avant d'être assassiné, les désigne. À chaque lecture, au festival d'Avignon ou dans les facultés, des censeurs se joignent aux meurtriers pour tenter d'enterrer sa parole, antiraciste mais libre. À Paris 7 Diderot, le syndicat Solidaires est allé jusqu'à demander à la présidence de l'université d'annuler la pièce inspirée de ce texte.

---

1. Éditions Les Échappés, 2015.

Avec l'appui de la section locale de l'UNEF, qui s'est même proposé d'envahir l'amphithéâtre le jour de la représentation. À Lille, devant le théâtre où l'on s'apprêtait à lire le texte de Charb, quatre jeunes salopards sont venus imiter le bruit des balles de kalachnikov qui l'ont tué avant de fuir devant l'arrivée de la police[1]. Voilà où nous en sommes.

Au lieu de politiser cette jeunesse et de lui mettre du plomb dans le crâne, la gauche identitaire la conforte dans ce fanatisme. Affolé par la tournure prise par son syndicat de jeunesse, un ancien membre a eu ce cri dans la presse : « L'UNEF est devenu un syndicat de talibans[2]. » Responsable de cette organisation dans les années 1970, Pierre Jourde se rappelle avoir appartenu à une jeunesse dogmatique et bornée. Jamais il n'aurait pour autant songé à se battre pour censurer une pièce antique : « La guerre contre la culture, c'est un beau combat étudiant. Qui rappelle plus le nazisme ou les gardes rouges que les idéaux démocratiques. »

Le syndicat s'est dit très choqué par sa tribune. Quelques jours plus tard, l'une de ses nouvelles recrues lui donnera pourtant cent fois raison.

Alors que l'incendie ravageant Notre-Dame brise le cœur de la France et du monde, Hafsa, membre

---

1. « Lille : ils miment une rafale de kalachnikov devant un théâtre pendant un spectacle sur *Charlie Hebdo* », France TV, 14 octobre 2019.

2. Pierre Jourde, « Eschyle censuré : "l'UNEF est devenu un syndicat de talibans" », *L'Obs*, 9 avril 2019.

du bureau de l'UNEF, s'enflamme sur Twitter : « Je m'en fiche de Notre-Dame de Paris car je m'en fiche de l'histoire de France », « Les gens ils vont pleurer des bouts de bois wallah vs aimez trop l'identité française alors qu'on s'en balek objectivement c'est votre délire de petits blancs ». Cette fois, tout le monde a bien compris. La nouvelle génération gauchiste n'est pas seulement sectaire. Elle est dangereusement incendiaire.

Deux visages de l'antiracisme

Ces polémiques confrontent deux visions de l'antiracisme, qui s'entrechoquent et se combattent. D'un côté, l'antiracisme qui réclame l'égalité de traitement au nom de l'universel[1]. De l'autre, l'antiracisme qui exige un traitement particulier au nom de l'identité. Le premier est universaliste. Le second est identitaire.

L'universaliste souhaite lutter contre les préjugés, l'essentialisation des identités, pour permettre à chacun de s'épanouir individuellement, de s'autodéterminer, de choisir son genre, de s'identifier à la culture de son choix, sans être assigné ou discriminé. Adepte de la transgression des genres et du métissage, il ne juge ni le fait de changer de sexe ni celui de se tresser des dreadlocks, défend une vision « fluide » des identités, et lutte contre les obstacles à cette liberté de s'autodéterminer.

---

1. Je parlais déjà de cette fracture dans mon livre consacré à la crise du multiculturalisme et aux attaques contre l'universalisme dans *La Dernière Utopie, op. cit.*

Cet antiracisme peut se mobiliser de façon communautaire contre la domination, les préjugés, l'antisémitisme, le racisme ou l'homophobie. Le but n'est jamais d'obtenir une reconnaissance particulière, ni un traitement de faveur, mais la fin des discriminations. C'est un rêve à la Martin Luther King, destiné à être partagé par le plus grand nombre. Une patience, une dignité qui ont fait la force du mouvement des droits civiques aux États-Unis. En apparence plus modérée, cette approche demeure la plus efficace pour faire reculer les stéréotypes sans monter les identités les unes contre les autres.

En France, on vise cet horizon universaliste en revendiquant le « droit à l'*indifférence* » : ne pas être rangé dans une case, ni bloqué par un plafond de verre, en raison de son apparence, de son origine, de sa sexualité, de son sexe ou de son genre. Cette conception ambitieuse de l'individu s'inscrit dans une longue histoire allant de la philosophie des Lumières à la Déclaration universelle des droits de l'homme. Assez longuement partagé, cet antiracisme s'est forgé dans le refus des ligues antisémites de l'Ordre moral, la défense du capitaine Dreyfus puis en réaction à l'horreur du racisme exterminateur nazi. Il irrigue une gauche française *Charlie*, républicaine et laïque, anti-intégriste et antitotalitaire, toujours inquiète lorsque l'antisémitisme se réveille. Ce qui est le cas en Europe.

En plus d'attentats islamistes à répétition visant les Juifs, comme ces enfants de Toulouse et leurs parents assassinés à l'entrée de leur école par

Mohammed Merah, les actes anti-Juifs explosent. Ils sont deux fois plus nombreux que les agressions anti-Musulmans.

Aux États-Unis, la situation est rigoureusement inverse. Même s'il arrive qu'ils visent aussi des Juifs, l'essentiel des tueries de masse et des attentats vient de l'extrême droite blanche, raciste et suprémaciste. Leurs victimes s'ajoutent aux nombreux Noirs tués, presque chaque semaine, par une police robotique, qui tire à la moindre peur d'un suspect armé.

Non seulement les antiracismes américain et français n'ont pas la même histoire, mais ils ne font pas face aux mêmes défis. Né de la résistance à la ségrégation, dans une société où la référence à la religion et à l'ethnicité semble indépassable, l'antiracisme américain n'a pas choisi de combattre les catégorisations ethniques, mais de revendiquer une plus grande diversité au nom de la « race ». Un mot tabou en France. Non pas qu'on nie l'ethnicité, mais parce que ce mot renvoie à la croyance nazie en des espèces d'humains si différents qu'ils pouvaient à peine se mélanger. Alors que ni la couleur de peau, ni la forme du nez ne font d'aucun humain une espèce à part. Pour combattre ce préjugé ayant donné lieu à la classification nazie, qui a déporté et tué, l'antiracisme français cherche à minimiser l'importance de la « race ». Pas les États-Unis.

Même si cela existe, il est rare d'y contester les classements ethniques. Bien souvent, on se contente de multiplier les cases, de « Caucasien » à mille façons d'être « métis », pour revendiquer le droit à la discrimination positive. Là où des critères sociaux permettraient d'aider les plus pauvres, souvent noirs, en évitant la concurrence des « races », le fait d'exiger une place à l'université ou une bourse sur des critères ethniques perpétue les stéréotypes raciaux, tout en alimentant le ressentiment des Blancs les plus pauvres.

Le problème n'est pas d'énoncer une identité collective pour revendiquer la fin d'une discrimination. Le souci commence lorsqu'on applique une vision séparatiste de l'identité aux êtres et à la culture. Au point d'interdire le mélange, les échanges, les emprunts. Au point de confondre inspiration et appropriation. Ce raccourci mène moins à l'égalité qu'à la revanche. Il ne favorise pas le mélange, mais l'autoségrégation. En revendiquant un traitement particulier, comme le droit à la parole ou à la création sur critères ethniques, on maintient des catégories, des façons de penser, qu'utiliseront les dominants pour justifier leurs préjugés et passer pour des victimes.

C'est tout le problème du *droit à la différence*. Au lieu d'effacer les stéréotypes, il les conforte, et finit par mettre les identités en concurrence. De plus en plus de Blancs se montrent sensibles à la propagande haineuse de l'*alt-right* leur faisant croire qu'ils sont en train de devenir une minorité en danger. Cela empire si des activistes noirs se mettent à interdire à des Blancs de parler ou de créer. Ces excès du *politiquement correct* ont clairement permis à Donald Trump de prendre sa revanche après le double mandat de Barack Obama, grâce à un langage totalement débridé.

La gauche américaine a-t-elle su en tirer les leçons ? Certains commencent à mesurer l'urgence de retrouver le chemin d'une gauche plus universaliste et égalitaire. Mais le Parti démocrate et la plupart des représentants des minorités ou des communautés restent figés dans cette vision sclérosée des identités. Qui oserait proposer une autre voie se mettrait immédiatement à dos des représentants très influents et virulents de l'antiracisme identitaire.

Après avoir naufragé la gauche dans les pays anglo-saxons, des États-Unis au Canada en passant par l'Angleterre, il commence à contaminer la jeunesse européenne, qui préférera toujours la radicalité violente et branchée d'un Malcolm X à la sagesse d'un Martin Luther King. Quitte à défendre une vision séparatiste, mais aussi parfois intégriste de l'identité, sur un continent où l'extrême droite monte par peur de cet aveuglement !

La jeunesse gauchiste s'en fiche. Comme ses aînés, elle veut vivre ses pulsions sans penser aux conséquences. S'identifiant plus volontiers à la lutte contre la ségrégation ou la colonisation qu'à la résistance au nazisme, elle n'a aucun scrupule à s'allier à des groupes intégristes antisémites s'ils prétendent mener un combat contre le capitalisme ou l'impérialisme. Tout est pardonné aux « damnés de la terre », qu'ils soient réellement victimes de racisme ou réellement fanatiques. Dans un contexte très différent, réellement entravé par la colonisation, Frantz Fanon estimait que tous les moyens étaient bons, même le recours à la violence ou au terrorisme, si cela permettait de se libérer de l'oppression[1]. Fascinés par cette radicalité, de jeunes Occidentaux l'appliquent à tout mouvement perçu comme « décolonisé ».

Ils en viennent parfois à soutenir le suprémacisme noir et son antisémitisme. C'est le cas des fans de Malcolm X, lorsqu'ils lui pardonnent ses emportements intégristes et racistes, comme le fait d'avoir associé les Blancs au diable : « L'homme blanc est diabolique par nature et doit être détruit[2]. » Ne parlons pas du leader antisémite Louis Farrakhan, admirateur d'Hitler et qui compare les Juifs à des Blancs sataniques, parfois même à des « termites », qu'il faut donc exterminer... Lors d'un meeting tout récent, il expliquait que « les Juifs étaient responsables de tous les comportements crasseux et dégénérés de Hollywood, transformant les hommes en femmes et les femmes en hommes ». Avant de menacer : « Les Blancs, vous allez descendre. Et Satan va descendre aussi. Et Farrakhan [il parle de lui à la troisième personne], grâce à Dieu, va retirer la couverture de ces Juifs sataniques. Je suis là pour dire : votre temps est terminé ! »

---

1. « Pour le colonisé, la vie ne peut surgir que du cadavre en décomposition du colon », Frantz Fanon, *Les Damnés de la terre*, Maspero, 1961, ch.1.

2. Entretien avec Louis Lomax, « A Summing Up : Louis Lomax Interviews Malcolm X », *When the Word Is Given : a Report on Elijah Muhammad, Malcolm X, and the Black Muslim World*, 1963.

Ces modèles inspirent la jeunesse. Tamika Mallory, l'une des fondatrices de la Women's March, était présente à ce meeting de Nation of Islam, tenu en février 2018. Elle n'a pas dénoncé ces propos. Ni retiré la photo où elle embrasse goulûment Farrakhan sous cette légende « the GOAT » (« le meilleur de tous les temps »). Ce n'est qu'une fois sous les feux de la critique que cette militante issue du mouvement Black Lives Matter a déclaré réprouver l'antisémitisme et l'homophobie du gourou de Nation of Islam. L'actrice Alyssa Milano, très affûtée politiquement et courageuse, venait d'annoncer qu'elle ne se rendrait pas à l'invitation de la Marche des femmes tant que ses leaders ne lèveraient pas ces ambiguïtés. Trois figures mises en cause ont depuis été écartées du mouvement. Mais l'actrice s'est vu agonir d'injures sur les réseaux sociaux pour avoir osé alerter.

L'alerte visait notamment Linda Sarsour, la leader voilée de la Marche des femmes. Issue du militantisme en faveur de la Palestine façon Hamas, elle peut d'une main lever des fonds pour les victimes de la synagogue de Pittsburgh attaquée par un suprémaciste blanc… et de l'autre banaliser les mouvements incitant à la haine des Juifs : « Lorsque nous écrivons l'histoire de l'islam en Amérique, Nation of Islam fait partie intégrante de cette histoire », a-t-elle tweeté en 2012. Elle invite ses coreligionnaires à ne jamais « humaniser » les Israéliens, parle de la résistance à Trump comme d'une forme de « djihad ». Loin de prôner l'intégration ou le mélange, elle encourage ses frères et ses sœurs à refuser l'assimilation : « Notre priorité, la priorité des priorités, est de plaire à Allah et seulement à Allah. »

Voilà les nouveaux visages de l'antiracisme et du féminisme à l'américaine. Porté par une jeunesse estudiantine assoiffée de radicalité pour faire oublier ses privilèges, l'antiracisme identitaire ne songe qu'à éliminer sa concurrence : l'antiracisme universaliste. Sa terre de mission prioritaire se trouve en Europe, où la gauche républicaine et libertaire résiste.

En France, des groupes encouragés par les réseaux franco-américains tentent d'importer ces passions. C'est le cas d'un groupuscule comme la Brigade anti-négrophobie, qui passe son temps à vouloir faire interdire toute pièce ou exposition pouvant être efficace contre le racisme, ou d'un mouvement comme les Indigènes de la République, qui tiennent en France des discours proches de Nation of Islam.

Sa leader, Houria Bouteldja, a publié un livre – *Les Blancs, les Juifs et nous* – loué par une partie de l'extrême droite française pour sa fibre identitaire[1]. Elle a adoré ses pages sur les Juifs, et plus encore cette tirade contre le féminisme pro-choix : « Mon corps ne m'appartient pas. Aucun magistère ne me fera endosser un mot d'ordre conçu par et pour des

---

1. Houria Bouteldja, *Les Blancs, les Juifs et nous : vers une politique de l'amour révolutionnaire*, La Fabrique, 2016. Digne d'un pamphlet des années 1930, son livre a été salué par le chef de file des catholiques d'extrême droite anti-*Charlie*, Bernard Antony, sur Radio Courtoisie : « Houria Bouteldja, c'est du Barrès ! » (13 avril 2016).

féministes blanches (…). J'appartiens à ma famille, à mon clan, à mon quartier, à ma race, à l'Algérie, à l'islam. » Une logique qui l'amène à considérer qu'une femme violée par un homme de « son clan » – c'est-à-dire de sa culture – ne doit pas le dénoncer, pour ne pas flatter le racisme. La consigne est claire. Une féministe ne doit pas dénoncer son violeur s'il est noir, arabe ou musulman, surtout si elle est musulmane, sous peine de trahir. Les féministes dénonçant l'intégrisme religieux au nom de l'islam, le viol ou l'oppression des femmes sans tenir compte de la couleur de peau ou de la religion de l'oppresseur sont taxées de « Blanches » et d'« islamophobes », même si elles sont musulmanes.

L'auteure confie trembler d'émotion en entendant « Allahou akbar », ce cri qui « terrorise les vaniteux » (sic). Une saillie particulièrement douteuse dans un pays qui a vu plus de 263 Français mourir dans des attentats après avoir entendu ce cri. Quelques pages plus tôt, l'auteure se plaint d'avoir dû pleurer sur le « judéocide » d'Hitler à cause de l'école républicaine, qui l'a « bien dressée ». Un livre digne des pamphlets antisémites d'avant guerre. Sauf qu'il n'est pas seulement « tendance » à l'extrême droite, mais aussi à l'extrême gauche. Et qu'il bénéficie de tous les relais antiracistes anglo-saxons. Dans ses remerciements, l'auteure exprime sa gratitude envers les militants du « réseau décolonial euro-américain », sur lequel elle dit fonder « beaucoup d'espoir ». Celui d'importer une vision totalement sectaire de la politique d'identité.

Dérive de la « politique d'identité »

Le terme d'*identity politics*, que l'on traduit par
« politique de l'identité[1] » et parfois par « politique
de la reconnaissance », désigne cette volonté de
mener des politiques dissociées selon les minorités,
en focalisant sur la « race », le sexe et le genre. Partie
de cercles groupusculaires, cultivée par l'élite et les
universités, elle tourne parfois à la ghettoïsation et au
sectarisme culturel.

Les germes de cette dérive sont présents dès
les origines, en 1977, lorsqu'une organisation lesbienne noire, le Combahee River Collective, reven-
dique le terme d'*identity politics* dans un manifeste
séparatiste. Au lieu de participer au Mouvement
de libération des femmes, le groupuscule croit plus
révolutionnaire de se recentrer sur son identité :
« Nous croyons que la politique la plus profonde et
potentiellement la plus radicale vient directement
de notre propre identité, par opposition à la tâche

---

1. C'est la traduction choisie par Laurent Dubreuil dans
La Dictature des identités, Gallimard, 2019.

consistant à mettre fin à l'oppression de quelqu'un d'autre[1]. » Tout est dit. Le fait de se regarder le nombril est jugé plus important que de se battre pour tout le monde. Par exemple en participant au Mouvement de libération.

Comme tout séparatisme, ce repli trahit avant tout une fatigue psychique et un renoncement. À l'époque où le groupe écrit ces lignes, les féministes sont caricaturées et moquées comme « mal baisées », toutes lesbiennes, radicalement contre les hommes et dangereuses pour la famille. Pour déjouer ces attaques, violentes, le Mouvement de libération tente de modérer ses éléments les plus turbulents. Les lesbiennes radicales, a fortiori noires et séparatistes, sont priées de se faire discrètes.

Ayant moi-même connu la difficulté de faire émerger les revendications lesbiennes au sein du féminisme français, des années plus tard, je n'ai aucun mal à imaginer les résistances de l'époque, le sentiment de rage et la tentation de se « séparer ». Cet « entre-soi » consistant à décortiquer sa propre identité présente un intérêt pour déconstruire une certaine haine de soi et se réconcilier avec soi-même. Je l'ai moi-même expérimenté. Mais je sais aussi combien cette quête peut tourner au sectarisme lorsqu'elle se construit dans le rejet des autres et de la lutte commune.

---

1. Combahee River Collective, « A Black Feminist Statement », *in* Alison Jaggar et Paula Rothenberg, dir., *Feminist Frameworks*, New York, McGraw-Hill, 1984, p. 204.

J'ai connu des groupes lesbiens français qui se sont retirés du monde pour vivre entourés de plantes et d'animaux uniquement femelles. Ces femmes n'ont pas changé le cours du monde, ni fait reculer l'homophobie d'un iota. Les radicaux sont souvent des êtres qui n'ont pas la patience ou la force de changer les autres. Plutôt que de l'admettre, ce qui serait touchant, ils préfèrent se croire plus subversifs. Pourtant, on peut tout à fait créer des groupes pour libérer la parole sur la spécificité de son oppression, dans le cas des lesbiennes noires de la double oppression, sans déserter le combat commun. Les militantes lesbiennes radicales qui ont persisté à militer au sein du Mouvement des femmes ont eu raison. Ce sont elles, et non les séparatistes, qui ont révolutionné la conception du couple, de la famille, libéré le corps des femmes et la sexualité. Une vraie révolution.

Le séparatisme ne mène jamais nulle part. Il peut servir de thérapie personnelle, dans le but de se reconstruire afin de mieux supporter l'adversité. Ce n'est pas une politique, et ne le sera jamais. La grande faute du manifeste du Combahee River Collective, c'est de présenter son repli identitaire comme une politique : « Le fait de nous concentrer sur notre propre oppression s'incarne dans le concept de politique de l'identité. » Le mot est prononcé. Depuis, il est sur toutes les lèvres, même sur celles d'hommes et de femmes censés mener une politique pour bâtir un avenir commun. À force, la gauche américaine dérive vers une approche qui durcit les identités au lieu d'avancer vers plus de justice. Le combat pour la diversité sert même parfois à masquer le renoncement au combat plus ambitieux pour l'égalité.

Des théoriciennes féministes comme Shane Phelan ont vu venir le danger. Dès 1989, elle conclut son livre sur la « politique d'identité » par une mise en garde contre la tentation du séparatisme : « Si nous transformons la politique d'identité en une exigence de pureté à chaque niveau de notre vie, nous nions les luttes pour lesquelles nous avons commencé notre combat. » Elle prédit que ce chemin mènera à davantage d'assignations : « Des identités non négociables nous asserviront, qu'elles nous soient imposées de l'intérieur ou de l'extérieur. »

Tout est dit. Et tout s'est vérifié. En quelques décennies, cette « politique de l'identité » est passée de la visibilisation des minorités à une forme d'assignation. Une politique de la reconnaissance qui mène bien souvent à celle du *ressentiment*. En théorie, bien sûr, il s'agit de chercher l'égalité. Sauf que la voie choisie maintient les stéréotypes et favorise la revanche.

C'est d'autant plus vrai depuis que les principaux obstacles, les vraies discriminations, ont reculé. Comme s'ils craignaient d'être au chômage technique, des activistes professionnels semblent se jeter sur des causes sans intérêt, en gonflant la moindre polémique.

Je ne parle pas de mouvements comme #MeToo qui ont enfin levé les vrais tabous du harcèlement et du viol. Je parle de ceux qui se créent de faux ennemis, au théâtre ou au cinéma, ou à l'université, pour réclamer une place. De ceux qui ne savent plus prendre la parole que pour faire taire les autres. Au nom d'un traitement *particulier*, correctif, de leur statut d'opprimé. Une ghettoïsation qui arrange les dominants. Surtout quand les minoritaires commencent à se manger entre eux pour savoir qui est le plus victime et doit bénéficier de la « discrimination positive » en priorité. Il arrive même que des antiracistes ordonnent aux féministes de se taire. Une injonction formulée au nom de l'« intersectionnalité ».

Partie de la noble intention de dénoncer la double oppression, en tant que femme et en tant que Noire, l'« intersectionnalité » aggrave la pente glissante de la politique d'identité. Issu de l'afro-féminisme, théorisé par l'universitaire Kimberlé Crenshaw en 1989, le féminisme intersectionnel était censé articuler les luttes contre le sexisme et le racisme. À l'arrivée, il les met en concurrence. Il lui arrive même de vouloir interdire la dénonciation du sexisme – le viol ou le voile – par peur de flatter le racisme. Exactement comme la leader des Indigènes de la République, qui pense qu'il ne faut pas dénoncer un viol si le violeur est musulman ou potentiellement victime de racisme. Pour parler concrètement, on peut porter plainte contre Harvey Weinstein, mais pas contre Tariq Ramadan.

La question n'est plus de savoir si un homme dominant viole une femme. Mais si cet homme appartient à une minorité culturelle ou non. Si c'est le cas, le fait de prendre sa défense en tant que minoritaire prime sur la dénonciation du viol. C'est exactement ainsi que réfléchissaient les marxistes sectaires il y a quarante ans. En 1976, en France, une féministe est violée par un travailleur immigré. Ses camarades la convoquent pour la dissuader de porter plainte. Ils lui reprochent de nuire au prolétariat et de faire le jeu du patronat raciste. Cette injonction, à l'époque, a choqué au sein du Mouvement des droits des femmes. Ceux qui ont cette mémoire savent combien les organisations gauchistes sont douées pour reléguer le combat pour les droits des femmes en queue des revendications, loin derrière la lutte prioritaire pour le Grand Soir. La nouvelle génération renoue avec cette tentation sans même le réaliser.

Le patriarcat est rusé. Il a plus d'un tour dans son sac, sinon il y a bien longtemps qu'il aurait succombé. De nos jours, il a trouvé le masque du « féminisme intersectionnel » pour expliquer aux jeunes féministes que les combats contre l'excision ou le voile font le jeu des racistes, et qu'il vaut mieux accuser les féministes laïques et universalistes d'être de sales bourgeoises blanches « islamophobes ». Même quand elles sont de culture musulmane et qu'elles dénoncent leur propre oppression. Quitte à se solidariser avec des mouvements intégristes, sexistes, homophobes et antisémites.

Les intersectionnels n'analysent jamais les intégristes islamistes comme des dominants. Ils les amalgament avec l'ensemble des musulmans, comme s'ils formaient une seule et même communauté, et les perçoivent comme des minoritaires, victimes du racisme de l'Occident. Qu'ils violent, voilent ou décapitent, ce sont avant tout des révoltés, des damnés de la terre, qui cherchent à se décoloniser.

C'est au nom de cette vision confuse de la « subversion » que Michel Foucault a soutenu, avec un enthousiasme indécent, l'ayatollah Khomeyni en Iran. À l'entendre, les mollahs n'étaient pas des « fanatiques », mais la voix des opprimés. Le « gouvernement islamique » une « spiritualité politique » qui allait « transfigurer le monde » et mettre fin à l'« hégémonie mondiale ». Il se félicitait même de voir toutes ces femmes, jadis aussi libres qu'en Occident, remettre le voile ! Quand la dictature fut proclamée et tous les opposants envoyés en prison pour être torturés, l'auteur de *Surveiller et punir* se mordit la langue et s'alarma enfin… Il était trop tard. Par chance, il était né en France et non à Téhéran. Il n'a donc jamais eu l'occasion de pratiquer une enquête participante dans la célèbre prison d'Evin, où l'on torture encore, quarante ans plus tard, ceux qui dérogent à la norme islamiste[1].

Cet aveuglement intellectuel continue chez les disciples du maître. Aujourd'hui encore, des féministes et des antiracistes se disant « subversifs » admirent

---

1. Mitchell Cohen, « Un empire de la langue de bois : Hardt, Negri, et la théorie politique postmoderne », *Controverses*, n° 1, mars 2006.

Nation of Islam, le Hamas, les Frères musulmans ou le régime iranien. Parfois avec l'aide du Soft Power et du département d'État américain. Plus encore grâce aux réseaux de l'université américaine, qui ont formé une génération d'enseignants et d'élèves acquis à la « politique de l'identité ».

Partie de groupuscules radicaux, la « politique de l'identité » a pris son élan à l'université grâce aux programmes d'études post-coloniales ayant fleuri sur les campus américains dans les années 1990. Encore une bonne intention qui a mal tourné.

Au départ, les *women's studies* ou les *post-colonial studies* devaient servir à « déconstruire » la norme coloniale et patriarcale. Elles sont nécessaires pour transmettre une vision de l'histoire débarrassée de ses œillères normatives, regarder en face l'oppression ancestrale des minorités. Le problème commence lorsque l'esprit militant l'emporte sur le devoir de transmettre un esprit critique. Lorsque ces cours se mettent à délivrer un dogme identitaire.

Cette morale a gagné les sympathisants du multiculturalisme et de la politique de la reconnaissance au Canada, avant d'arriver en France chez les foucaldiens et les bourdieusiens[1]. Toute personne qui oserait remettre en cause leur doxa encourt un

---

1. Dans *Ce que n'est pas l'identité*, Nathalie Heinich (Gallimard, 2018, p. 26), sociologue, parle d'un « post-modernisme exacerbé, porté par des universités anglo-américaines se référant à une "French Theory" en grande partie fantasmatique ».

procès pour déviance, et bien sûr ne trouvera jamais de poste. À force d'être monopolisées par des enseignants-militants qui se cooptent, ces filières ont construit de véritables ghettos intellectuels au sein de l'université. Auteure d'un livre sur *L'Art du politiquement correct*, Isabelle Barbéris s'inquiète de ce « nouvel académisme anticulturel[1] », qu'elle attribue à la « réimportation en France de la *French Theory* après métabolisation par la gauche identitaire américaine[2] ». Un courant qui a donné naissance à un « post-foucaldisme racial ». Le paradoxe étant que cette vision « performative » de l'identité, censée défendre la liberté de s'auto-énoncer pour s'émanciper des normes sociales ou genres, aboutit à l'exact opposé.

Sa façon de revendiquer, ultra-communautarisée et ultra-victimaire, fige les identités. Oubliez le « trouble dans le genre » revendiqué il y a quelques années par Judith Butler[3]. La vision américaine de la *French Theory* considère le voile comme le sommet de la performance subversive. Peu importe si, en Europe, cette nouvelle mode accompagne le retour d'un fondamentalisme religieux qui pense à séparer clairement les femmes des hommes. Le séparatisme n'est pas un problème pour cette génération, qui trie elle-même les citoyens entre « racisés » et

---

1. Isabelle Barbéris, *L'Art du politiquement correct*, PUF, 2019, p. 45.

2. *Ibid.*, p. 29.

3. Judith Butler, *Bodies that Matter*, Routledge, Londres, 1993.

non-« racisés », transgenres et cisgenres – lorsque leur sexe biologique correspond à leur identité de genre. Au point de prôner des ateliers de débat « non mixtes », racialement et sexuellement. Au point de vomir tout emprunt ou mélange culturel.

Au Canada, ils boycottent même le yoga !

Le Canada, pays modèle du « multiculturalisme », est aussi celui où l'on perd la tête au nom de l'« appropriation culturelle ». Le mal est très avancé. Un vrai laboratoire pour savoir où mènent ces campagnes. À l'automne 2015, une affaire a sidéré la presse, pourtant habituée à bien des folies. Alors que le monde saigne et se disloque, des jeunes Canadiens se mobilisent… contre un cours de yoga !

Il est dispensé depuis sept ans, gratuitement, à des étudiants handicapés de l'université d'Ottawa. La jeune femme qui s'en occupe, Jen Scharf, vient d'apprendre qu'il ne sera pas reconduit. Le « Centre pour étudiant.e.s ayant un handicap » de la FEUO, la principale fédération étudiante, craint soudainement de s'approprier une pratique indienne. Une angoisse justifiée par le fait que l'Inde et son peuple « ont subi l'oppression, le génocide culturel et les diasporas en raison du colonialisme et de la suprématie occidentale[1] ».

---

1. Aedan Helmer, « Free Ottawa Yoga Class Scrapped Over 'Cultural Issues'», *Ottawa Sun*, 20 novembre 2015.

Au même moment, le « peuple colonisé » en question vient d'élire un Premier ministre d'extrême droite, très anti-musulmans. Narendra Modi ne cache pas sa volonté d'encourager l'exportation du yoga, qu'il conçoit comme un marqueur culturel « bouddhiste ». Si au moins les étudiants d'Ottawa voulaient boycotter le yoga pour ça, par conscience politique. Pas du tout. Tous les Indiens, Modi compris, sont perçus comme des victimes de l'Occident. Et le fait de boycotter le yoga, comme un moyen de réparer !

« En plus de trente ans de journalisme, je croyais avoir tout vu », écrit Nathalie Petrowski dans *La Presse de Montréal*. Elle sent qu'elle n'a pas fini d'être surprise par « cette nouvelle tendance et ses diktats » – qu'elle ose qualifier de « police culturelle »[1].

Les années suivantes n'ont pas déçu. Les polémiques ont défilé pour des motifs plus grotesques les uns que les autres. Un festival de musique a interdit à ses participants le port de coiffes autochtones. La chanteuse Natasha St-Pier s'est vu reprocher d'avoir placé des objets rituels autochtones dans un clip. Deux spectacles d'un jeune humoriste blanc, Zach Poitras, ont été annulés… parce qu'il porte des dreadlocks ! Des étudiants de l'université du Québec considèrent sa chevelure comme une « violence » envers les « personnes issues d'une culture historiquement dominée ». Décidément, la nouvelle génération estudiantine canadienne n'aime

---

1. Nathalie Petrowski, « Touche pas à ma culture », *La Presse de Montréal*, 17 décembre 2015.

guère se détendre, ni les muscles, ni les zygoma-tiques.

L'absurdité déconcertante de ces campagnes s'explique en partie par l'histoire du Canada, né de deux colonisations, l'une francophone et l'autre anglophone. Toutes deux ont bâti cette nation polyglotte sur le dos et la terre de peuples autochtones. Au prix d'une violence inouïe, comme ce fut le cas avec les Aborigènes en Australie ou les Indiens en Amérique. Les peuples premiers ne représentent plus que 4,3 % de la population. L'addiction et l'acculturation menacent leur communauté d'extinction. C'est dire s'ils méritent une attention et une considération particulières, parfois même des aménagements. Le problème, c'est qu'au nom du « multiculturalisme », le droit à l'autonomie culturelle pensée pour réparer le tort infligé à des communautés premières s'est étendu à toutes sortes de minorités nationales, au point de menacer l'unité du pays.

Connu pour son sens de l'accueil et ses besoins stratégiques en matière d'immigration, le Canada est aussi le pays où le multiculturalisme autorise tous les excès. On entend par « multiculturalisme » non pas l'état *multiculturel* d'une société, en soi très positif, mais le fait de cultiver – par des politiques publiques – le *droit à la différence* des minorités, au risque de défaire le sentiment d'appartenance à des principes communs. C'est le cas lorsqu'on permet à des membres d'une culture ou d'une religion de faire passer leur foi et leurs traditions avant le respect de l'égalité en vertu d'« accommodements raisonnables[1] ». Une brèche qui a vite dérivé.

Au départ, l'« accommodement » était pensé pour permettre à des femmes enceintes d'aménager leurs horaires de travail. À l'arrivée, à la demande de groupes religieux radicaux, il sert à contourner le principe d'égalité hommes-femmes.

Plusieurs cas de demandes insensées ont défrayé la chronique ces dernières années. Une yeshiva a demandé à faire givrer les vitres d'une salle de sport pour que ses étudiants orthodoxes ne soient pas perturbés par la vue de femmes en sueur. Un patient juif blessé à la main a demandé à passer devant tout le monde dans une file d'attente aux urgences pour être soigné avant shabbat. Non seulement les membres de communautés religieuses se sentent autorisés à demander un traitement privilégié, mais on le leur accorde par peur d'offenser. C'est ce qui a précipité la crise des « accommodements raisonnables » du Québec. En 2007, pour désamorcer les tensions, le gouvernement missionne la commission Bouchard-Taylor, du nom des deux universitaires chargés d'écrire un rapport. Après un an de débats furieux et de récits surréalistes, les deux rapporteurs ont conclu qu'il ne fallait rien changer, que ces craintes étaient fondées, voire racistes.

Il faut dire que l'un des auteurs de ce rapport, Charles Taylor, n'est autre que le « pape » du

---

1. J'y consacre un long chapitre dans *La Dernière Utopie*, *op. cit.*

multiculturalisme, dans une version particulièrement tolérante envers les revendications religieuses. Lui-même est WASP, hétérosexuel et croyant. La droite religieuse américaine lui a remis le prix Templeton, fort bien doté, pour ses bons et loyaux services. De fait, Taylor a œuvré toute sa vie contre l'universalisme sous prétexte de promouvoir la *politique de la reconnaissance*. Elle consiste à reconnaître et même à protéger le droit à une forme d'autonomie culturelle sous prétexte de respecter l'« authenticité » d'une culture. Quitte à dériver en vision essentialisée des identités, en dépit de nuances que l'intellectuel, qui est aussi un homme politique, tient à apporter. Il lui arrive de déplorer que le monde se transforme en « concours de victimes », alors que tous ses travaux, et sa *politique de la reconnaissance*, ne font que l'encourager.

Son magistère est puissant. Les adeptes du multiculturalisme se cooptent depuis des années à l'université canadienne. Rien n'est plus risqué, en termes de carrière, que de s'y opposer pour défendre une vision plus universaliste. La police de la culture semble bien tourner à la police de la pensée. Comme le prouve ce qui est arrivé au rédacteur en chef de la revue *Write*.

En 2017, la revue trimestrielle de la *Writers' Union of Canada*, l'Union des écrivains du Canada, consacre un de ses numéros aux auteurs autochtones. À côté de leurs textes, son rédacteur en chef, Hal Niedzviecki, choisit de publier un texte contestant le bien-fondé du concept d'« appropriation culturelle ». Une pratique qu'il voit plutôt comme une ouverture à l'autre. Se plaignant d'une littérature trop blanche, incapable d'imaginer des récits plus divers, il plaide en faveur d'une inspiration plus métissée : « À mon avis, n'importe qui, n'importe où, devrait être encouragé à imaginer d'autres peuples, d'autres cultures, d'autres identités. J'irais même jusqu'à dire qu'il devrait y avoir un prix pour récompenser cela – le prix de l'appropriation – pour le meilleur livre d'un auteur qui écrit au sujet de gens qui n'ont aucun point commun, même lointain, avec lui. » Intitulé « Gagner le prix de l'appropriation », son papier promet 5 000 dollars à qui voudra bien organiser ce prix.

Sitôt en ligne, son article soulève une tempête. Alicia Elliott, une écrivaine d'origine indigène née aux États-Unis, se dit « intimement trahie ». Son propre article, qui propose une autre lecture, a été édité dans le même numéro, par ce rédacteur en chef à qui elle dénie le droit de penser autrement. L'auteure n'a visiblement pas la même capacité à tolérer un autre avis.

Après une pluie de tweets furieux et plusieurs tribunes d'écrivains menaçant de quitter l'association, Hal Niedzviecki a dû se justifier. Il explique qu'il n'a voulu offenser personne, qu'il entend ces réactions mais qu'il échoue à comprendre en quoi « l'appropriation culturelle est violente pour les populations indigènes ». La tempête redouble. Le rédacteur en chef finit par démissionner. Au lieu de le défendre, la revue des écrivains va platement s'excuser : « L'intention du magazine est d'offrir un espace pour des discussions honnêtes et stimulantes et d'encourager sincèrement toutes les voix. » Elle estime avoir échoué en laissant un écrivain développer une pensée complexe et tolérante ! Elle va même l'exclure en guise de réparation. Fin du débat.

Toute la souffrance des peuples autochtones ne saurait justifier cette police de la pensée. Elle n'apporte rien, elle ne répare rien. Elle traite les autochtones comme des enfants. Elle ne musèle pas les racistes, elle les enrage, et leur adjoint des supporters horrifiés par ces dérives. Elle n'intimide que les démocrates, les universalistes, et les antiracistes sincères, pris entre le feu de la haine et cette bêtise. Seuls des courageux, sûrs de leurs convictions, osent encore résister.

La résistance de Kanata

On peut difficilement trouver plus cosmopolite et plus antiraciste que la troupe du Théâtre du Soleil fondée en 1964 par Ariane Mnouchkine. En France, tout le monde connaît ses pièces engagées. *Le Dernier Caravansérail* conte l'histoire des exilés fuyant la guerre ou la misère. Des réfugiés, afghans, irakiens, kurdes, iraniens ont intégré sa troupe. Pas pour la photo. Pour vivre de leur art. Chacun y reçoit le même salaire et doit savoir proposer tous les rôles pour mériter sa place. De l'universalisme en actes.

La pièce *Kanata* est née de l'association avec Robert Lepage, un metteur en scène québécois, connu pour ses engagements en faveur des minorités. Elle dépeint les souffrances infligées aux peuples autochtones sur leur terre natale. Le spectacle, ambitieux, doit se jouer en France et au Canada lorsqu'une mauvaise polémique éclate. Il s'agit en fait du rebond d'une autre controverse. Le précédent spectacle de Lepage, *SLAV*, revisite l'histoire du racisme, en racontant la vie d'une migrante noire au son des chants d'esclaves. Des chants inspirés par l'album de Betty Bonifassi, d'origine slave, mais qui pioche dans ce répertoire pour dénoncer le racisme. On lui reproche son épiderme blanc. Sur la scène, ses choristes sont noirs. Tout le monde chante à l'unisson. Mais l'harmonie n'est pas l'affaire des inquisiteurs en « appropriation culturelle ». Ils crient au scandale. Après trois mois de programmation, malgré 8 000 billets vendus, le spectacle est retiré de l'affiche.

Encouragés par cette déprogrammation, peut-être aussi par le « mea culpa » de Robert Lepage qui promet de faire attention, les censeurs décident de passer son répertoire au crible. Ils tombent sur ce projet de pièce sur l'oppression des autochtones. L'intimidation se met en place, cette fois préventivement. Dix-huit artistes et intellectuels autochtones et douze de leurs alliés non autochtones (autorisés à s'exprimer en dépit de leurs origines) signent une tribune dans *Le Devoir* : « Encore une fois, l'aventure se passera sans nous, les Autochtones[1] ? »

Leur tribune se veut très « courtoise ». Ils commencent par exprimer leur lassitude à l'égard de ceux qui veulent raconter l'oppression des autochtones, non pas présentée comme une page effroyable de l'histoire du Canada, mais comme LEUR histoire à eux. Une propriété dont ils réclament l'usufruit. À défaut d'être contée par des autochtones, ils réclament que cette pièce soit jouée par des autochtones : « Notre invisibilité dans l'espace public, sur la scène,

---

1. « Encore une fois, l'aventure se passera sans nous, les Autochtones ? », *Le Devoir*, 14 juillet 2018.

ne nous aide pas. Et cette invisibilité, madame Mnouchkine et monsieur Lepage ne semblent pas en tenir compte, car aucun membre de nos nations ne ferait partie de la pièce. »

Officiellement, ils ne demandent pas la censure : « Nous ne souhaitons pas censurer quiconque. Ce n'est pas dans nos mentalités et dans notre façon de voir le monde. » Leur proposition est ailleurs : « Ce que nous voulons, c'est que nos talents soient reconnus, qu'ils soient célébrés aujourd'hui et dans le futur, car NOUS SOMMES. Certains ont été consultés par les promoteurs de *Kanata*. Mais nous croyons que des artistes de nos nations seraient heureux de célébrer leur fierté sur scène dans la pièce. » Très clairement, c'est une offre de casting. Mais une offre accompagnée d'un chantage. Qui méprise gravement l'art du théâtre, dont la noblesse consiste à se glisser dans la peau d'un autre sans passer par un test ADN.

On imagine mal Ariane Mnouchkine retirer un rôle à l'un de ses acteurs parce qu'il n'a pas la bonne origine. Sa troupe comporte plus de vingt-quatre nationalités : des Iraniens, des Afghans, des Irakiens, des Brésiliens, des Chiliens, des Hongkongais, des Taïwanais. Sa raison d'être est de leur permettre de jouer tous les rôles, y compris ceux qu'on ne leur donne jamais à cause de leur couleur de peau !

Une troupe travaille toute l'année à former un groupe harmonieux. Elle ne peut recruter de nouveaux venus en cours de répétitions, sur pression, juste pour éviter un boycott. Pour appuyer leur requête, les auteurs de la tribune font remarquer qu'il existe des subventions au Canada pour toute œuvre associant des représentants des autochtones à la création : « La compagnie Ex Machina profite déjà de financements du Conseil des arts et des lettres du Québec et du Conseil des arts du Canada. Nous savons qu'elle peut également obtenir des subventions vouées aux projets culturels en collaboration avec les Autochtones ou pour la réconciliation. Un tel partenariat nous semble engager davantage la participation des Autochtones qu'une simple consultation. »

On ne comprend pas comment, avec un tel système de subventions, le Canada ne croule pas sous les pièces écrites et jouées par des autochtones. Pourquoi ne pas les monter, au lieu de chercher querelle aux autres troupes déjà constituées, qui montent difficilement des pièces sans aides ? Pourquoi ne pas créer au lieu de reprocher à Robert Lepage ou à Ariane Mnouchkine d'ajouter leurs regards ? Avant d'écrire *Kanata*, la tribune le reconnaît, de nombreux Amérindiens ont été consultés. Problème, ceux qui ne l'ont pas été sont vexés. Et ceux qui étaient ravis du projet n'osent plus le dire, par peur de la polémique.

Croyant à un malentendu, brûlant d'expliquer le fonctionnement de sa troupe, Ariane Mnouchkine prend l'avion pour rencontrer les signataires qui le voudront bien, ainsi que d'autres représentants autochtones du Québec. La réunion va durer cinq heures, sans interruption. Un dialogue nourri. Touchée par le procès en invisibilité, Mnouchkine leur fait plusieurs propositions. Monter un festival de théâtre autochtone au Théâtre du Soleil. Et pourquoi pas écrire ensemble l'acte IV de *Kanata*, que certains pourront jouer à la Cartoucherie lors de ce festival. Les signataires de bonne foi apprécient. La main tendue les tente. N'était-ce pas ce qu'ils demandaient ?

Alors qu'on se dirige vers l'écriture d'un communiqué commun, une poignée de radicaux, parmi les plus privilégiés de l'assemblée, accusent Mnouchkine de « vouloir acheter la paix ». Plus métis, possédant le capital culturel nécessaire pour intimider le reste de la salle, ils parviennent à briser l'entente. Ce sera finalement deux communiqués séparés. Mais on promet de se revoir. Au grand dam des inquisiteurs en chef.

Une fois dehors, les jusqu'au-boutistes vont se déployer sur les réseaux sociaux, faire bouillir les antagonismes et finir de rendre irréparable ce qui pouvait encore être réparé. Par une invraisemblable violence verbale, ceux qui voulaient continuer le dialogue sont intimidés. La polémique use les bonnes volontés. Et la pièce menace de mourir.

Un coproducteur américain se retire du projet. La pièce étant menacée de boycott au Canada, Ex Machina, la maison de production de Robert Lepage, ne peut plus la coproduire. La moitié du budget n'est plus financée. Alpagué tous les jours, décrit comme un abominable colon, à l'opposé de ses valeurs, le metteur en scène craque. Il annonce qu'il jette l'éponge. Sonnée, Ariane Mnouchkine accepte d'abord sa démission, puis se ravise et la refuse. En cédant à une telle polémique, le Théâtre du Soleil donnerait le pire des exemples. Une décision courageuse, mais qui a un prix. Sans subvention et sans recette canadienne, le spectacle laissera une ardoise de 300 000 euros au Théâtre du Soleil, qui devra différer ses autres créations pendant des mois, juste pour tenir bon[1].

L'acte I de *Kanata* a bien eu lieu. On l'a joué en décembre 2018 à la Cartoucherie. Moins ambitieux mais flamboyant, sans frontières ni barrières, soudé par l'esprit de troupe, porté par l'envie de s'adresser à tous. Une poignée de détracteurs est venue crier à la fin du spectacle. Pas de quoi gâcher les applaudissements nourris de la salle. Des Québécois, dont quelques autochtones, sont venus spécialement du Canada pour voir la pièce, effondrés qu'une telle odyssée ne puisse être jouée sur leur terre natale. La pièce a voyagé en Italie et en Grèce, mais toujours pas au Canada.

Il aura fallu une détermination inouïe pour éviter la censure. Dans un entretien accordé à *Télérama*, Ariane Mnouchkine revient sur ce triste épisode[2]. La journaliste commence par lui demander si elle a eu le sentiment d'avoir commis le péché d'« appropriation culturelle ». Sa réponse devrait être enseignée aux nouvelles générations : « Ces termes n'évoquent

---

1. Grâce au soutien sans faille du Festival d'Automne, qui n'a pas cédé au chantage.
2. Entretien réalisé par Joëlle Gayot, *Télérama*, 19 septembre 2018.

rien pour moi. (...) Les cultures ne sont les pro-priétés de personne. (...) Pas plus qu'un paysan ne peut empêcher le vent de souffler sur son champ les embruns des semailles saines ou nocives que pratique son voisin, aucun peuple, même le plus insulaire, ne peut prétendre à la pureté définitive de sa culture. »

En une image, cette femme de théâtre a planté le décor. Un peu plus loin, elle dessine l'équilibre à trouver : « Les cultures, toutes les cultures, ce sont nos cultures, ce sont des sources et, d'une certaine manière, elles sont toutes sacrées. Nous devons y boire studieusement, avec respect et reconnais-sance, mais nous ne pouvons pas accepter que l'on nous en interdise l'approche car nous serions alors repoussés dans le désert. » Il ne s'agit pas de venir se saouler, bruyamment et sans respect, à la source des autres. Mais de partager un lac commun, où tout le monde doit pouvoir s'abreuver.

Qui peut nous chasser de ce lac qu'est la culture ? « La première des censures, avertit Mnouchkine, est notre peur. Être accusé de racisme fait très peur, et nos accusateurs le savent. » La fondatrice de la troupe du Soleil n'est pas de ce bois. Elle connaît trop la profondeur de ses convictions pour se lais-ser culpabiliser, et donc intimider. D'autres n'ont pas cette force. Ariane Mnouchkine le sait et s'en inquiète. Ce qui décuple sa révolte contre les inquisi-teurs : « Qui a intérêt à déchirer la société, justement de cette façon-là ? »

On s'interroge avec elle. Quel est le sens de cette inquisition, qui déchire et censure ? « En quoi va-t-elle nous redonner le sens et l'amour du bien commun ? Pourquoi certains idéologues tentent-ils de duper notre jeunesse en profitant négativement de son idéalisme, de sa générosité et de sa soif de solidarité et d'humanité ? »

La réponse ne se trouve pas au théâtre, mais à l'université. Chez ces idéologues de la politique d'identité, qui enrôlent au lieu d'apprendre à créer. Peu de temps après cette polémique, l'université McGill a consacré une table ronde à la question de l'« appropriation culturelle »[1]. Un séminaire clairement organisé autour des censeurs : Alexandra Lorange, co-auteure de la tribune contre la pièce, et Safie Diallo, cofondatrice du Collectif droit et diversité.

Les rares moments de dissidence sont venus d'un professeur agrégé en droit, Maxime St-Hilaire. Effondré par ce qu'il entend, « une posture victimaire qui a renoncé à la raison », il a noté une liste interminable de motifs retenus ce jour-là pour justifier un procès en « appropriation culturelle »[2]. Certains visent tout particulièrement la pièce de Robert Lepage. Sont jugés « appropriatifs » : « la création d'une œuvre, musicale, littéraire, théâtrale, visuelle ou cinématographique, par plusieurs créateurs membres d'une "culture dominante", s'inspirant d'une ou

---

1. Le 23 octobre 2018, à l'invitation de la Runnymede Society.
2. Maxime St-Hilaire, « La critique d'appropriation culturelle, cette invraisemblable victoire iconoclaste », https://blogueaquide droit.wordpress.com, 30 octobre 2018.

plusieurs "cultures dominées", sans avoir obtenu l'autorisation des "représentants" ou consulté des "membres de cette culture d'emprunt" », mais aussi « l'attribution d'un rôle de personnage autochtone ou membre d'une minorité "racisée", sexuelle, de genre, etc., à un acteur allochtone ou non membre de la minorité en question ». Ce qui revient à exiger des castings sur la base de tests ADN.

Le point suivant est encore plus clair. Ces universitaires considèrent comme appropriative « la production d'une œuvre théâtrale, cinématographique, musicale, ou de performance, dont la distribution des acteurs, musiciens, chanteurs ou artistes n'est pas racialement ou culturellement "représentative" ».

Comment juger de la « représentativité » raciale d'un comédien ? En lui demandant d'uriner sur un coton-tige ou en lui enfonçant un peigne dans les cheveux comme les policiers sud-africains du temps de l'apartheid ? Sans doute ce point de détail sera-t-il discuté lors d'un prochain séminaire.

Vers un cinéma identitaire

Le cinéma est un puissant vecteur d'universel. C'est en regardant des personnages de fiction qu'on apprend à s'identifier à l'autre, à vivre une autre vie que la sienne, parfois « plus grande », plus dure ou plus audacieuse, et qu'on se révèle à soi-même. Un film peut vous attraper le cœur, vous prendre aux tripes, vous brûler la peau et transporter votre âme ailleurs. Dans un autre corps, dans une autre vie, dans une autre identité.

C'est au cinéma que j'ai appris à écouter mes désirs. Son prisme m'a aidée à comprendre qui j'étais, alors qu'aucun modèle autour de moi ne le permettait. *When Night Is Falling* est sorti en 1995. Pour la première fois, une histoire d'amour entre femmes s'affichait. Une enseignante d'une faculté religieuse s'éprend d'une acrobate métisse. Cette découverte change sa vie. Leur baiser a changé la mienne.

J'ai longuement hésité à prendre un ticket. Je suis arrivée en retard à la séance, le cœur tremblant. Il ne restait plus qu'une place au premier rang. Impossible de détourner le regard. Cette histoire d'amour m'a percutée de plein fouet, mettant des visages et des gestes sur un désir que je n'osais pas m'avouer. À la sortie, j'ai failli me faire renverser par une voiture, tellement j'étais bouleversée. Ce film m'a convaincue qu'il était temps d'arrêter de me mentir. J'aimais les femmes, et depuis toujours. Il était temps de l'assumer, quel qu'en soit le prix.

Les années suivant mon *coming out*, j'ai guetté le moindre film mettant en scène des lesbiennes. Jusqu'ici je m'identifiais aux personnages masculins, surtout s'ils embrassaient de jolies filles. Je m'y identifie toujours. Je suis néanmoins ravie qu'il y ait plus d'actrices ouvertement lesbiennes, et plus encore de personnages qui me ressemblent au cinéma. Comme cinéaste, j'ai envie de réaliser des films pour les générations qui viennent. Jamais, en revanche, il ne me viendrait à l'idée d'interdire à une actrice hétérosexuelle de jouer une lesbienne si elle est juste et crédible. Au contraire, c'est la preuve que nos combats avancent, et que ces frontières reculent.

Vingt ans après mon *coming out*, *La Vie d'Adèle* est sorti au cinéma. Je vivais depuis longtemps en couple, j'étais bien dans ma peau, dans mon identité. Je ne suis pas allée voir le film en salle. Le regard trop masculin du réalisateur, Abdellatif Kechiche, pourtant infiniment talentueux, m'en dissuadait. J'ai fini par regarder ce film chez moi, à la télévision. Je l'ai trouvé fort, incandescent. Brillant dans sa façon de transmettre le désir dont brûle le réalisateur et que peuvent ressentir tous les genres. J'ai regardé ailleurs pendant les scènes de sexe, que j'ai trouvées fausses.

À aucun moment, pourtant, il ne me serait venu à l'idée de vouloir interdire ce film. Je n'avais qu'à tourner la tête ou réaliser d'autres films. Ce que j'ai fini par faire avec *Sœurs d'armes*.

En suivant les pas d'une jeune yézidie qui rejoint la résistance kurde pour se venger des djihadistes, j'ai choisi de raconter une histoire qui fait écho à mes engagements sans être la mienne. En me coulant dans la peau de mes personnages aussi bien masculins que féminins. Je peux comprendre la rage d'une héroïne yézidie comme la perversité d'un djihadiste. Je travaille sur les extrémistes depuis tant d'années. C'est la mission première d'un scénariste. S'approprier la vie des autres. Et le miracle de la fiction. Elle nous force à endosser tous les points de vue, à voir et à entendre ce que nous ne sommes pas. Or c'est là, au cœur de ce monde sans frontières, que les inquisiteurs cherchent à dresser des barbelés, à imposer des castings ADN, à assigner les rôles, à mettre en résidence surveillée le droit d'incarner et de représenter. Tout le monde devrait avoir le droit de créer. Même les salauds, s'ils trouvent des gens pour travailler avec eux.

Je n'ai pas voulu voir au cinéma *J'accuse* de Roman Polanski. Je n'ai pas supporté qu'on le compare à Dreyfus pendant la promotion du film. Comme je trouverais douteux qu'on lui rende personnellement hommage, alors que les témoignages de femmes l'accusant de viol s'accumulent. Je n'irais pas pour autant manifester pour demander qu'on déprogramme son œuvre. Les films, les œuvres possèdent une âme propre. Ils sont le fruit d'un engendrement. Ils valent parfois mieux que leur créateur. Ils ont donc le droit d'être jugés pour eux-mêmes. En l'occurrence, *J'accuse* porte un message contre l'antisémitisme qui mérite d'être vu, surtout en Seine-Saint-Denis où des idiots voulaient le déprogrammer.

Dans ce cas, la colère des féministes n'est pas irrationnelle. Il en va tout autrement lorsque des inquisiteurs interdisent à un réalisateur de créer du seul fait de son identité, de son genre, de son sexe ou de sa couleur de peau. Comme c'est arrivé à Kathryn Bigelow pour *Detroit*.

Hollywood compte seulement 8 % de films à succès réalisés par des femmes chaque année. Kathryn Bigelow est l'une des rares réalisatrices à briser ce plafond de verre. Elle ne tourne pas des films intimistes. Elle assume la violence, s'empare du sujet comme la guerre, dans *Démineurs* ou *Zero Dark Thirty*, qui raconte la traque de Ben Laden. Le fait qu'elle choisisse un sujet aussi sensible que les émeutes « raciales » de 1967 est une chance pour ceux qui subissent le risque d'être tués à l'issue d'un contrôle policier. La thématique n'est pas fédératrice, surtout dans l'Amérique de Trump. Elle demande du courage. Il faut un nom connu et un sacré casting pour espérer monter financièrement ce film. Si en prime des groupes afro-américains protestent, il est sûr d'échouer. Ce qui dissuadera d'autres réalisateurs de toucher à ces thèmes à l'avenir.

En l'espèce, Kathryn Bigelow avait pris toutes les précautions nécessaires. Elle s'est entourée d'« experts » issus de la communauté afro-américaine, dont on espère qu'ils ont surtout été choisis pour leur connaissance de cette période. De nos jours, la tendance est plutôt de chercher des « cautions ».

Au cinéma comme dans l'édition, il devient courant de faire « approuver » des scénarios ou des manuscrits par des *sensitivity readers*, des lecteurs censés posséder la bonne sensibilité de par leur parcours ou leur identité. C'est le cas de Sarah, relectrice marocaine. Elle s'estime spécialiste en « islam, politique et culture marocaines, racisme », ainsi qu'en « viol et syndrome post-traumatique ». C'est marqué sur son blog. Sa sensibilité se facture à la ligne. Bien entendu, il ne s'agit que de conseils : « Nous ne faisons que guider les auteurs qui nous demandent de l'aide : ils sont libres ou non de suivre nos conseils[1] », confie-t-elle. On se réjouit. Le *sensitiv buro* n'est pas encore un bureau de la censure. Il sert surtout de pare-feu en cas de polémique pour « appropriation ». Comme si le public n'était pas assez grand pour juger.

Souvent, les campagnes de dénigrement sont menées en amont, sans avoir vu le film, sur la seule base de l'ADN de ceux qui l'ont réalisé ou joué. Même le talentueux Spike Lee, le plus célèbre des réalisateurs afro-américains, s'est vu reprocher d'avoir tourné un film sur la violence à Chicago… alors qu'il est de Brooklyn ! Le *politburo* ne se contente plus de juger en fonction de la « race », il l'étend à l'adresse et au quartier.

---

1. Romain Jeanticou, « Lu et approuvé », *Télérama*, 19 septembre 2018.

On ne compte plus le nombre de comédiens ou comédiennes qui ont dû renoncer à un rôle, juste parce que des activistes ne les trouvaient pas assez noirs. Zoe Saldana a bien failli décliner le rôle de Nina Simone. Scarlett Johansson ne jouera pas Dante Gill, un proxénète transgenre des années 1970. Bien qu'il n'ait changé de sexe qu'à la veille de sa mort, des activistes ont exigé que le rôle soit joué par un transexuel.

Ces polémiques sont parfois lancées par les actrices qui n'ont pas eu le rôle. En l'occurrence, les cris d'orfraie sont venus de Trace Lysette (qui joue dans *Transparent*) et de Jamie Clayton. Deux actrices transsexuelles qui détestent être réduites à cette étiquette, mais la revendiquent quand il s'agit de critiquer une concurrente. « Les acteurs trans, écrit Jamie Clayton sur Twitter, ne sont jamais même auditionnés pour des rôles de personnages trans. C'est la vraie question. Nous ne pouvons même pas entrer dans cette chambre. À tous ceux qui engagent des trans pour jouer des non-trans, je vous défie ! » Encore une offre de casting sous forme de chantage.

On comprend le désir d'une comédienne d'être considérée pour un rôle qui lui parle. Mais comment accepter qu'une comédienne trans qui joue des femmes cisgenres se mette à refuser la réciprocité ? Jamie Clayton, connue pour son rôle dans *Sense8* sur Netflix, a joué également plusieurs femmes cisgenres. C'est une magnifique réussite. Elle se plaindrait si on ne l'appelait que pour des rôles de transsexuelles. Elle mettrait les producteurs au défi de lui donner d'autres rôles, et elle aurait raison. Pourquoi vouloir soudainement interdire à une femme cisgenre de jouer une trans ?

Il faut bien mesurer le revers de la médaille. Si l'on impose cette règle au cinéma, les comédiens issus de minorités ne pourront plus jouer que des personnages minoritaires. Ils devront renoncer à pouvoir jouer tous les rôles. Ce qui est pourtant le but : enrichir l'universel de représentations plus diversifiées. Un objectif visiblement trop ambitieux pour les obsédés de l'identité.

La présidente de l'ONG Transgender Europe est allée jusqu'à traiter de « transphobe » le fait de confier à Scarlett Johansson le rôle d'une femme voulant devenir un homme. À l'entendre, « le message envoyé au grand public est que les personnes trans ne seraient que des hommes ou des femmes déguisés ». Ici, clairement, on s'égare. L'actrice américaine devait jouer une femme… qui n'a été opérée qu'à la fin de sa vie. Pourquoi refuser qu'une actrice transgresse les genres pour jouer ce rôle ? En quoi dissuader un grand nom d'Hollywood d'incarner un personnage trans fera reculer la transphobie ? Le film sera bien plus difficile à monter. Il aura moins de moyens, et moins d'écho.

Une autre polémique, tout aussi injuste, a frappé *Girl*. Son réalisateur, Lukas Dhont, a travaillé des années pour monter ce premier film, inspiré d'une histoire vraie. Avant d'écrire un scénario, il a tourné un documentaire sur le parcours de son héroïne, un jeune garçon rêvant de devenir danseuse. Ce petit bijou cinématographique a bouleversé le public, partout dans le monde, y compris dans des pays où la transsexualité est toujours interdite. Au lieu de s'en féliciter, des militants lui ont jeté la pierre. Pas tous. Le film a reçu la Queer Palm. Mais plusieurs activistes trans l'ont détesté. Ils en ont le droit. Il est même tout à fait légitime qu'ils donnent des interviews pour dire en quoi cette histoire leur parle ou pas. Le cinéma sert à ça. Pourtant certains sont allés bien plus loin, jusqu'à nier au réalisateur le droit de s'emparer du sujet parce que « cisgenre ».

D'autres lui ont reproché de dresser un portrait jugé « victimaire », trop sinistre. On peut l'entendre. Le souci, c'est que ce film s'inspire d'une histoire vraie, celle de Nora Monsecour. Il n'est pas censé raconter tous les parcours trans, juste le sien. Comme les films sur des personnages hétérosexuels ou cisgenres racontent leur histoire à eux. Si des transsexuels veulent raconter leur propre histoire, qu'ils passent derrière la caméra, au lieu de descendre en flèche les films des autres.

Il existe des rôles où un acteur issu de la même identité que le personnage apporte un surcroît d'authenticité. C'est le cas lorsque Laverne Cox, une actrice réellement trans, joue Sophia Burset dans *Orange Is the New Black*. Ou lorsque Peter Dinklage joue Tyrion Lannister, le nain stratège et attachant de *Game of Thrones*. À noter, ce sont des séries. Un univers où on a le temps de développer les personnages, où le casting n'a pas besoin d'être « bankable » pour financer un projet. Les personnages de Sophia

Burset et Tyrion Lannister, en plus d'être magnifiquement interprétés, sont profonds et complexes. Peter Dinklage n'est pas seulement le « nain » de *Game of Thrones*. Il a réussi à devenir le personnage le plus intelligent, le plus raisonnable, le plus surprenant, celui auquel on s'identifie. Un tour de force. Et un exemple. Pourtant, croyez-le ou non, Peter Dinklage a lui aussi subi un procès en « appropriation culturelle ».

L'affaire dépasse l'entendement. Grâce au succès mondial de la série, l'acteur a pu réaliser le film de ses rêves. Un biopic consacré à Hervé Villechaize, l'un des plus célèbres acteurs nains de l'histoire de la télévision. Avec sa coupe brune au bol, son costume blanc et son nœud papillon, toujours un peu mordant et ironique, il a joué Tattoo dans la série *L'Île fantastique* et l'homme de main Tric-Trac dans James Bond. *L'Homme au pistolet d'or* est l'un des rares films grand public où un nain ne joue pas un nain, mais un vrai personnage. Un modèle qui a marqué le comédien de *Game of Thrones*. Peter Dinklage et lui étaient amis. Après sa mort, il a voulu réaliser un film sur sa vie et jouer son rôle. On imagine la difficulté pour le monter financièrement. Et sa tête en voyant ce financement menacé par les accusations d'appropriation culturelle.

Persuadés qu'Hervé Villechaize était philippin, des internautes ont accusé le réalisateur de faire du « whitewashing » et du « yellow face » ! Il s'agit en fait d'une erreur sur la page Wikipédia de l'acteur… Bien que brun, l'acteur était blanc et français. Certains ont pris ses traits pour des yeux bridés. On n'est pas loin de la « nainphobie ». Peter Dinklage saura se montrer suffisamment poli pour ne pas le leur renvoyer à la figure : « Ces personnes pensent être dans le juste politiquement et moralement et faire avancer les choses, mais c'est préjuger et supposer l'origine ethnique de Villechaize en se basant uniquement sur son apparence[1]. »

Consterné par ce « buzz », il doit livrer le détail du pedigree ethnique de son ami : « Hervé n'était pas philippin. J'ai rencontré son frère et d'autres membres de sa famille. Il était français et d'origine allemande et anglaise. » L'acteur, plutôt bien placé au championnat des minorités, invite gentiment ses détracteurs à tempérer leurs préjugés. Quand on vous dit que les identitaires ne sont pas les nouveaux antiracistes, mais bien les nouveaux racistes.

À cause de leur polémique absurde, des personnages minoritaires n'existeront jamais. Des producteurs ne voudront plus s'emparer de ces sujets. Imagine-t-on le nombre de chefs-d'œuvre que nous aurions perdus si cette mentalité avait régné plus tôt ? Richard Berry n'aurait jamais pu jouer un flic arabe dans *L'Union sacrée*, ni un Arménien dans *Mayrig*. Anthony Quinn, à moitié irlandais et mexicain, n'aurait pas pu jouer *Zorba le Grec* ! Et Marlon Brando – qui pouvait pourtant ratisser large grâce à des racines françaises, allemandes, hollandaises,

---

1. Robert Moran, « "He Wasn't Filipino" : Game of Thrones Star Rubbishes "Whitewashing" Claims », *The Sydney Morning Herald*, 30 août 2018.

irlandaises et anglaises – n'aurait pas été assez italien pour interpréter *Le Parrain* !

Si l'on va au bout de leur logique, on peut même dire que le principe du jeu de rôles n'est plus permis. Si l'on ne peut plus jouer qu'un personnage de sa propre identité, si les trans ne peuvent jouer que des trans, les homosexuels que des homosexuels et les hétérosexuels que des hétérosexuels, si des handicapés doivent jouer des handicapés, comment fait-on pour les films de science-fiction ? Faut-il trouver un homme *bleu* pour jouer dans *Star Trek* ? Et surtout, qui va jouer les zombies ?

Hommage ou pillage ?

Il existe des cas d'appropriations problématiques : lorsqu'une personne, un groupe ou une entreprise s'empare de la « propriété intellectuelle » d'une œuvre, d'une création ou d'une découverte sans respecter le droit d'auteur ou son brevet. Ce pillage donne droit à des dommages et intérêts. Celui ou celle qui porte plainte doit apporter la preuve d'être à l'origine de cette création originale. La démarche est bien plus floue, bien plus glissante, s'il s'agit d'appropriation dite « culturelle ». L'un des cas pouvant justifier ce terme est sans doute celui des musées vivant de l'exposition d'œuvres d'art pillées. Ou si un groupe dominant, a fortiori une marque, s'accapare un élément symbolisant la culture d'un groupe dominé pour en tirer un profit commercial.

On peut se poser la question lorsqu'un grand groupe pharmaceutique s'approprie une recette thérapeutique traditionnelle sans reverser le moindre intéressement à ceux qui l'ont transmise et perpétuée. Ces emprunts sont de plus en plus encadrés par l'Organisation mondiale de la propriété intellectuelle. À la demande de communautés locales et autochtones, ses États membres travaillent « en vue d'élaborer un ou plusieurs instruments juridiques internationaux visant à assurer la protection efficace des savoirs traditionnels, des ressources génétiques et des expressions culturelles traditionnelles (folklore) » : « Nombreux sont ceux qui affirment que l'utilisation des savoirs traditionnels doit être subordonnée à un consentement libre et préalable en connaissance de cause, particulièrement en ce qui concerne les éléments sacrés et secrets. » Le document précise toutefois que « d'autres craignent que l'octroi d'un droit de regard exclusif sur les cultures traditionnelles freine l'innovation, limite le domaine public et soit difficile à mettre concrètement en œuvre ».

Imaginons qu'une communauté traditionnelle décrète que l'aloe vera ou la « griffe du diable », une plante de Namibie incroyablement efficace contre les rhumatismes, soit sacrée, qu'elle fasse partie intégrante de sa culture et qu'elle lui appartienne. Faut-il respecter ce monopole au nom de la culture et laisser souffrir d'autres gens que ces plantes pourraient soulager ? La vraie solution est de militer pour une agriculture biologique et un commerce équitable. Des combats constructifs qui n'intéressent guère les pasionarias de l'identité. À les suivre, on finirait par croire que la planète est menacée d'extinction à cause de Disney.

On comprend l'intérêt médiatique de se révolter contre une marque américaine qui a tant d'impact sur nos imaginaires. Le drame serait qu'elle raconte uniquement l'histoire de Blanche-Neige, et jamais celle de Mowgli, ou d'autres personnages ressemblant aux enfants du monde entier. Ce n'est pas le cas. Le studio veille à mettre en valeur des cultures très différentes, en s'inspirant de contes des quatre coins du monde. Justement ce que les inquisiteurs lui reprochent ! Son ouverture à la diversité lui vaut une pluie de procès en « appropriation culturelle ». La plupart sont absurdes. Pas tous.

Prenons le cas de Vaiana, inspiré de la légende polynésienne. On ne peut que se réjouir de voir Disney populariser cette légende, et donc cette culture. Les ennuis commencent au moment des produits dérivés. Dans la légende, le dieu Maui n'est vêtu que d'un pagne et d'un collier. Pour son déguisement, la marque a prévu un costume couvert de tatouages… Ce qui choque les Polynésiens. En effet, dans la culture polynésienne, les tatouages sont censés raconter une histoire personnelle. Ces tatouages standardisés n'ont aucun sens. Pour une journaliste originaire des îles Fidji et Tonga, le déguisement constitue une offense en soi : « Porter les marques d'un peuple auquel vous n'êtes pas relié physiquement ou spirituellement est considéré comme très irrespectueux[1]. » Faut-il être « relié physiquement ou spirituellement » à une culture pour en porter les

---

1. Arieta Tegeilolo Talanoa Tora Rika, « How Did Disney Get Moana So Right and Maui So Wrong ? », *BBC News*, 21 septembre 2016.

marques ? Ce serait tout simplement la fin du droit au déguisement, et par extension du théâtre ou du jeu de rôles. En revanche, il y a clairement un raté. Avant d'éditer un costume dit polynésien, Disney aurait pu se renseigner, éditer un kit permettant à chaque enfant d'ajouter lui-même un tatouage, plus personnel, comme dans la culture polynésienne. Le problème n'est pas de s'inspirer d'une autre culture. Mais de la méconnaître quand on prétend la partager.

Une autre polémique assez légitime a touché Disney. Cette fois, elle concerne « Hakuna Matata ». L'expression « Pas de problème » en kiswahili est devenue l'une des répliques cultes du *Roi Lion*. Un hommage évident. Un film a bien le droit de faire parler ses personnages dans la langue de son choix. Les ennuis commencent lorsque Disney décide de déposer l'expression pour imprimer des T-shirts. On peut s'approprier une expression commune dans le cadre d'une réplique. On peut difficilement la déposer comme si on l'avait inventée, alors que 150 millions de locuteurs et locutrices de l'Afrique subsaharienne l'utilisent tous les jours. Des journalistes de la presse africaine s'en sont émus[1]. On les comprend. Comme on approuverait qu'un fabricant africain parlant le kiswahili profite de l'aubaine pour imprimer des T-shirts « Hakuna Matata » sans verser de droits à Disney.

---

1. Barthélemy Dont, « Disney accusé d'appropriation culturelle pour l'expression "Hakuna Matata" », *Slate*, 18 décembre 2018.

Il est plus difficile de partager la colère d'une blogueuse contre un pantalon Zara rappelant vaguement le sarong. Un pantalon traditionnel noué que portent beaucoup d'Indonésiens, mais qu'elle s'approprie comme étant « celui de son oncle », parce qu'il le portait aussi[1]. Lui appartient-il vraiment plus qu'à Zara ? Est-ce vraiment du pillage ? Certes, le pantalon mis en vente par la marque est souple. Certes, il se noue vaguement de la même manière. Mais le tissu n'a rien à voir. Le motif est franchement plus écossais... Va-t-on arrêter de produire des pantalons à fermeture Éclair en Asie parce qu'ils existent en Europe ? La colère de cette blogueuse semble décuplée par le fait que le pantalon de la marque espagnole coûte dix fois plus cher que le sarong indonésien. Mais qui l'oblige à l'acheter ? Moi-même j'achète mes sarongs en Indonésie. En priant pour qu'ils ne soient pas tissés par des enfants étant donné leur faible prix. Et non, mon oncle n'en portait pas. Cette polémique, isolée et grotesque, n'a pas vraiment pris.

En revanche, Zara n'a pas attendu une journée avant de retirer ses chaussettes à losanges colorés. Un motif inspiré par l'ethnie sud-africaine xhosa, celle de Nelson Mandela. C'est dommage. Ces chaussettes étaient belles. Un pourcentage sur chaque vente aurait pu servir à soutenir cette communauté

---

1. Elizabeth Segran, « Zara Just Culturally Appropriated My Uncle's Sarong and Wants to Charge $100 For It », *Fast Company*, 31 janvier 2018.

ou cette culture. Mais la campagne n'est pas venue des Xhosas. Elle est partie d'un média devenu le principal procureur des inquisitions en appropriation culturelle : AJ+.

Dernière-née du groupe Al Jazeera, cette chaîne de vidéos se présente comme un média « inclusif » prônant le multiculturalisme. En réalité, il s'agit d'un outil de propagande de l'État qatari, dont les vidéos s'acharnent à montrer le pire visage raciste de l'Occident. Idéal pour faciliter la propagande des islamistes que le Qatar soutient et finance à travers le monde. Autant dire que le modèle qatari d'« inclusion », notamment la façon dont il traite les femmes et travailleurs immigrés, n'est jamais questionné. La plupart des cibles du procès en « appropriation culturelle » ne sont ni de vrais puissants ni de vrais méchants, mais bien plus souvent des artistes ou des créateurs qui mélangent les influences. C'est le cas de Jamie Oliver. Ses recettes, souvent inspirées par la cuisine italienne de son mentor, ont réenchanté la cuisine anglaise. Parmi mille recettes revisitées, forcément à base d'ingrédients déjà utilisés, on lui reproche d'avoir commercialisé un « riz jerk », qui ne l'est pas tant que ça.

Le nom fait référence au mélange d'épices concocté par des esclaves africains au XVIIᵉ siècle. Populaire en Jamaïque, il accompagne souvent du poulet, et non du riz. Il n'en fallait pas plus pour déclencher une polémique. Des internautes ont râlé. La recette ne contiendrait pas toutes les épices du « jerk ». Rien de grave, juste un buzz, plutôt instructif. L'excès est venu d'une députée travailliste exigeant son retrait. Dans un tweet visiblement destiné à draguer le vote noir, Dawn Butler s'est lâchée : « Je me demande si vous savez ce qu'est réellement le jerk jamaïcain ? Ce n'est pas seulement un mot qu'on met sur les choses pour les vendre… Votre riz jerk n'est pas correct. Cette appropriation de la Jamaïque doit cesser. » Jamie Oliver lui a répondu par un communiqué sobre et digne. Sans s'excuser, il rappelle « avoir travaillé avec des saveurs et des épices du monde entier durant toute sa carrière », et précise simplement sa démarche : « En donnant ce nom à ce riz, mon intention était simplement de montrer d'où venait mon inspiration. »

Si Jamie Oliver avait utilisé cette recette sans mentionner son origine, on l'aurait accusé de piller. S'il l'adapte, on l'accuse de trahir. On finit par se demander si les obsédés du procès en appropriation culturelle ne rêvent pas d'un monde monoculturel, où tout le monde s'habillerait, se coifferait et mangerait selon son origine.

Compétition victimaire

Une part non négligeable de l'hystérie collective actuelle tient à l'épiderme, extrêmement douillet, des nouvelles générations. Et plus encore au fait qu'on leur a appris à se plaindre pour exister. Les sociétés de l'honneur flattaient l'héroïsme, au prix d'un virilisme guerrier. Les sociétés contemporaines ont placé le statut de victime tout en haut du podium. Pour de bonnes raisons. Inverser le rapport de force, renverser les dominations, tenir compte des plus faibles. L'excès commence lorsque la victimisation tend à faire taire d'autres voix, et non des dominants.

Les victimes de viol, de harcèlement, de génocide, de racisme, d'homophobie ou de transphobie méritent notre attention, qu'on les écoute et qu'on en tire les leçons pour enrayer ces mécanismes qui broient nos liens. Il en va tout autrement lorsque des opportunistes profitent de la compassion pour ouvrir un bureau des plaintes permanent. Où l'on s'agace de tout et de n'importe quoi, sans faire la part des choses, simplement pour tenir boutique et exister médiatiquement. Le plus souvent pour dégager un concurrent.

C'est l'un des aspects, non négligeable, de ce cirque victimaire : une grande compétition. Bien des inquisiteurs ont compris que le nombre de places à prendre en tant que victimes était limité, surtout dans un pays aussi compétitif que l'Amérique. Ils sont prêts à jouer des coudes et la carte de la « race », du « sexe » ou du « genre » si cela leur permet de servir leur ambition. Un réflexe, presque une filière – que les universités sont les premières à encourager.

Deux professeurs de sociologie, Bradley Campbell et Jason Manning, ont consacré un livre à décrire « la montée de la culture victimaire » sur les campus américains, à 88 % libéraux[1]. Les exemples qu'ils donnent sont terrifiants. Oberlin, une faculté d'arts de l'Ohio très à gauche, est un vrai cas d'école. Une usine à fabriquer des victimes et des censeurs. Ses étudiants sont incités à traquer le racisme partout : dans les rues, sur le campus, et même à la cantine. En 2013, ébullition : ils croient enfin tenir un scandale. Quelqu'un aurait provoqué la faculté en venant sur le campus en tenue du Klan ! Après enquête, il s'agit d'une étudiante emmaillotée dans une couverture blanche à cause du froid. La paranoïa courait depuis que des messages racistes et antisémites avaient été retrouvés sur les murs du campus. Là aussi, l'enquête a déçu. Les messages haineux étaient l'œuvre de deux

1. Bradley Campbell et Jason Manning, *The Rise of Victimhood Culture*, Palgrave Macmillan, 2018.

étudiants gauchistes voulant réveiller leur communauté. Deux ans plus tard, enfin, les élèves d'Oberlin tiennent un vrai motif de révolte, leur Mai 68 à eux : le menu de la cantine.

La carte du jour promet des plats vietnamiens. Réjouie, une étudiante de première année d'origine vietnamienne se voit terriblement déçue… Le *bánh mì* qu'on lui sert n'est pas fidèle à la recette qu'elle connaît. Au lieu d'une baguette croustillante enveloppant du porc grillé et des légumes au vinaigre, elle croque dans une ciabatta fourrée à l'effiloché de porc au coleslaw. On comprend sa déception, fréquente en matière de finesse culinaire aux États-Unis, mais de là à mener une campagne médiatique pour « appropriation culturelle » !

La directrice de la restauration panique aussitôt. Elle retire le plat du menu, présente ses excuses aux élèves, s'inquiète de savoir s'ils se sont « sentis mal à l'aise ». La presse locale embraye. À la manière d'un fait divers, elle enquête sur le crime et prévient : si des personnes non vietnamiennes modifient une recette et la présentent comme « authentique », elles se l'approprient. Comme s'il existait une recette « authentique » d'un plat qui a tant voyagé.

D'après Laurent Dubreuil, qui a consacré un livre à *La Dictature des identités*, notamment sur les campus, le nom *bánh mì* vient de « pain de mie » en français. Il est lui-même le fruit de l'appropriation de plusieurs recettes d'autres cultures. L'ajout de certains ingrédients jugés comme « authentiques » date de la période coloniale[1] ! Faut-il à ce point respecter l'apport culinaire de la colonisation ? Pas sûr que la subtilité d'une telle question puisse trouver sa place dans un débat à l'université.

Depuis quelques années, les professeurs se montrent terrorisés à l'idée d'aborder certains sujets jugés « offensants » ou « insécurisants » pour leurs élèves. Ils doivent même prévenir s'ils comptent évoquer des œuvres susceptibles de les perturber ou de contenir des « micro-agressions ». Des enseignants utilisent cette expression pour désigner « les indignités verbales, comportementales et environnementales quotidiennes, brèves et banales, intentionnelles ou non, qui communiquent un sentiment de désappartenance ou de négativité selon la race, l'orientation sexuelle ou le genre, ainsi que des affronts et insultes à caractère religieux envers un groupe ou une personne »[2]. Une définition plutôt maximaliste. Elle nous vient d'un professeur en conseil psychologique de Columbia, Derald Wing Sue, traumatisé par une expérience personnelle. Pas un menu à la cantine, mais presque.

Un jour qu'il prenait l'avion avec une collègue afro-américaine, une hôtesse vient informer les passagers que l'avion est en surcharge. Elle demande à certains passagers de descendre[3]. En l'occurrence, elle

---

1. Laurent Dubreuil, *op. cit.*

2. Cité par Bradley Campbell et Jason Manning, *op. cit.*, p. 3.

3. Aussi hallucinant que cela puisse paraître, cela arrive souvent aux États-Unis.

s'adresse à eux. Les deux enseignants sont persuadés d'avoir été choisis en raison de leurs origines. Ce que l'hôtesse de l'air nie absolument. Ce procès d'intention l'horrifie. Mais comment s'en défendre puisque cette impression repose sur leur ressenti à eux ? Ces deux professeurs émérites, plutôt privilégiés donc, refusent de faire la distinction entre une vexation « intentionnelle » et une vexation « non intentionnelle ». Un refus de la complexité qu'ils enseignent à leurs élèves.

Durablement traumatisé, décrivant une fureur intérieure telle que son sang s'est mis à cogner dans ses tempes, Derald Wing Sue invite ses élèves à signaler la moindre « micro-agression ». Quel exemple ! Si deux professeurs d'université, établis, d'un certain âge, ayant un certain revenu, leur enseignent à se mettre dans un tel état pour si peu, comment s'étonner de voir émerger une génération aussi sensible, voire susceptible ?

Un catalogue très complet des « micro-agressions » régit désormais les universités américaines, comme Oberlin bien sûr, mais aussi Harvard, Columbia ou Brown. Elles incluent des phrases effectivement pénibles à endurer, comme le fameux « D'où viens-tu ? », lancé en boucle à des personnes non blanches. Mais elles vont jusqu'à des réflexions bien plus anodines ou méritant débat. Comme dire que « l'Amérique est un *melting-pot* » ou mettre en doute le principe de l'*affirmative action* sur critère ethnique par un « Je crois que la personne la plus qualifiée devrait avoir le job ». Ce qui interdit, de fait, d'en débattre.

Pour ne pas froisser leurs élèves, et leur identité, les professeurs doivent désormais émettre des *trigger warnings*, des « avertissements ». Pour que les étudiants sensibles puissent quitter le cours avant d'être heurtés. Un peu comme les avertissements pour enfants lorsqu'un film violent ou porno passe à la télévision. Sauf qu'il s'agit d'adultes, de cours à l'université, et que ces avertissements concernent des œuvres classiques comme *Antigone* ou *Gatsby le Magnifique* ! Un roman qui évoque le suicide et contient des scènes de violences sexuelles explicites.

Des élèves disent redouter que certaines œuvres ne leur fassent « revivre leurs démons ». N'est-ce pas la raison d'être de la littérature ? À quoi sert de se cultiver sans ressentir ? Bien des syndicats d'étudiants ont tranché. Ils exigent un « droit de retrait » en cas de contenus sensibles. Vous avez bien entendu. Les professeurs doivent les « avertir » en cas de contenus potentiellement troublants… Et les élèves ont le droit de s'abstenir, par avance, d'assister à ce cours potentiellement perturbant. C'est la revendication, explicite, formulée par des étudiants de plusieurs universités prestigieuses.

En 2014, l'année où commence cette mode, l'université de Santa Barbara, en Californie, tente de rendre systématiques ces « avertissements » : « Pour donner le choix de venir en cours ou pas, au lieu de partir au milieu de la séance. » Un an plus tard, l'idée est reprise par des élèves de Columbia. Ils ont signé un manifeste intitulé « *Our identities matter in Core classrooms* » : « Nos identités importent dans les cours de tronc commun »[1]. Il s'agit de décliner le fameux Black Lives Matter. Non plus pour échapper aux violences policières racistes, mais pour éviter le choc d'un trouble identitaire causé par la littérature.

Les élèves de Columbia exigent carrément qu'on retire du « tronc commun » certaines œuvres jugées eurocentrées ou trop violentes. Ils citent l'exemple d'une élève traumatisée par l'étude des *Métamorphoses* d'Ovide, alors qu'elle avait subi des violences sexuelles. En plus de lui faire revivre son traumatisme, l'élève se serait sentie choquée par la distance du professeur, ayant « concentré son attention sur la beauté de la langue et la splendeur de l'imagerie ». À en croire les porte-parole de sa souffrance, cette élève « ne se serait pas sentie en sécurité en classe ». Ce qui revient à la réduire à son statut de victime. Et semble justifier la censure du poème des *Métamorphoses*, doublement disqualifié, parce que violent et occidental. Comme « tant de textes du canon occidental », poursuit le manifeste, « il est constitué d'un contenu qui offense et déclenche, et qui marginalise les identités des étudiant.e.s dans la salle de cours ».

En quelques lignes, les grandes œuvres de la littérature se voient « racisées », jugées en fonction de la couleur de peau de leur auteur, avant d'être amalgamées dans un seul et même « canon occidental »,

---

1. Kai Johnson *et al*, « Our identities matter in Core classrooms », *Columbia Spectator*, 30 avril 2015.

caricaturé comme violent et raciste. Le manifeste conclut très naturellement que les femmes violées, ainsi que les personnes de couleur et les pauvres, ne peuvent pas les étudier : « Ces textes, intimement liés aux histoires et aux récits de l'exclusion, peuvent être difficiles à lire et à discuter en tant que survivant.e.s, personne de couleur, ou étudiant venant d'un milieu socioprofessionnel peu élevé[1]. » On notera au passage le ton paternaliste envers ces pauvres élèves, issus de milieux socioprofessionnels « peu élevés », à qui on ne prête guère de grandes capacités – autres que le statut exotique de victimes à défendre. On plaint les enseignants chargés d'ouvrir l'esprit d'élèves aussi fermés.

Le vœu le plus cher de tout intolérant xénophobe se voit exaucé par la gauche victimaire. Le retour de bâton est vite arrivé. Après les *Métamophoses* d'Ovide, ce sont toutes les « œuvres » un tant soit peu originales que des élèves ont exigé de censurer. À l'université Duke, un élève chrétien s'est dit « offensé » par le contenu d'une bande dessinée d'Alison Bechdel, *Fun Home*, qui raconte la vie de couples de femmes et contient un dessin où elles font l'amour[2]. Si des gauchistes se disent offensés par l'étude d'œuvres occidentales, pourquoi des

---

1. Ce manifeste, ahurissant, est cité par Laurent Dubreuil, *op. cit.*, p. 88 et 89.
2. Brian Grasso, « I'm a Duke Freshman. Here's Why I Refused to Read "Fun Home", *The Washington Post*, 25 août 2015.

intégristes ne se diraient-ils pas offensés à l'idée d'étudier des œuvres libérales ?

Les diktats énoncés par les identitaires de gauche finissent toujours par servir la droite identitaire. L'étudiant de Duke n'a eu qu'à invoquer son identité religieuse et les Évangiles pour justifier sa censure. Sa référence n'est pas plus grotesque que le manifeste de Columbia. Un étudiant musulman est venu lui apporter son soutien. Lui aussi s'est dit inquiet de voir cette littérature libérale diluer son identité religieuse : « J'ai vu tant de gens qui ont tout simplement mis à la poubelle leur identité au nom de la laïcité, de l'ouverture d'esprit et du libéralisme social[1]. »

En France, on a connu la même alliance. Alors que le gouvernement expérimentait des programmes visant à déconstruire les stéréotypes de genre, des familles chrétiennes et musulmanes se sont donné le mot pour exiger de retirer leurs enfants pendant ces cours... pour ne pas les exposer à la « théorie du genre » ! Voilà où mène la politique de l'identité. À transformer des antiracistes en talibans de la culture. Les jeunes identitaires de gauche ne tirent pas encore sur les statues, mais ils demandent à les cacher. À l'université Hofstra, près de New York, des élèves ont manifesté aux cris de « Jefferson doit s'en aller » pour qu'on enlève de l'allée la statue de Thomas Jefferson. Pourquoi s'en prendre à l'un des rédacteurs de la Déclaration d'indépendance grâce à qui ces élèves bénéficient de tant de libertés ? Cette

---

1. Cité par Laurent Dubreuil, *op. cit.*, p. 90.

liberté qu'ils n'ont pas eu à conquérir, ils l'utilisent pour lui reprocher à titre posthume d'avoir eu des esclaves, alors que tous les hommes du Sud de son rang en possédaient.

À force de vivre dans un monde décontextualisé, celui des réseaux sociaux, sans que l'université les éduque à l'esprit critique, ces jeunes sont d'une injustice anachronique. Leurs excès régalent l'électorat de Donald Trump. Un jeune conservateur qui a initié une contre-pétition pour défendre la statue de Jefferson a pu parader sur les plateaux de Fox News en défenseur de la mémoire et de la liberté d'expression[1]. C'est ainsi que la gauche identitaire fait gagner la droite identitaire. À force d'attaquer toutes les libertés, de parler ou de créer.

Même la droite la plus intégriste n'arrive plus à rivaliser avec ces nouveaux censeurs. À Wellesley, trois cents étudiants ont signé une pétition demandant à cacher la statue d'un homme en tenue légère. À les entendre, elle pouvait « stresser » certaines élèves, victimes de violences sexuelles[2] !

---

1. Lukas Mikelionis, « Thomas Jefferson Statue Must Go, Some Hofstra University Students Say », Fox News, 30 mars 2019.
2. Sarah Mahmood, « Why Wellesley Should Remove Lifelike Statue of a Man in His Underwear », *The Huffington Post*, 6 février 2014.

L'université de la peur

Quand ils n'exigent pas de censurer des œuvres ou de déboulonner des statues, il arrive que des étudiants réclament des *safe spaces*. Des endroits où ils peuvent se retrouver entre eux, afin de se remettre de tant d'offenses, de l'altérité, voire de la complexité du monde. Comme l'écrit Laurent Dubreuil, le *safe space* est devenu un « *same space*[1] ». Un local communautaire, où l'on se retrouve entre élèves de la même identité, parfois pour prier.

Comme souvent avec l'idéologie victimaire, la notion vient de la psychanalyse, pour désigner un lieu virtuel protégé de toute violence. On s'y réfugie pour retrouver son équilibre. Une sorte de *panic room* moins élaborée. Jusqu'ici, on utilisait ce concept pour désigner les espaces d'accueil pour personnes vulnérables, comme les femmes battues, les prostitués ou les drogués. Depuis, la mode du *safe space* s'est étendue à l'université, un cadre pourtant privilégié !

---

1. Laurent Dubreuil, *op. cit.*, p. 82.

Qu'un élève souhaite développer un refuge intérieur, qui serait contre ? Qu'il choisisse ses amis par affinités, c'est la nature même de l'être humain. Mais pourquoi donc exiger de l'université un lieu physique où se regrouper par identité ? Ce lieu sert surtout à fuir la moindre discussion littéraire, le moindre débat contradictoire pouvant froisser ses convictions ou son identité. C'est une façon de laisser penser que la confrontation est une agression. Est-ce vraiment au temple du savoir d'encourager une telle susceptibilité ? C'est tout simplement la mort de l'université telle que l'avait pensée Thomas Jefferson. Un sanctuaire de la « liberté sans limites de l'esprit humain », où l'on ne doit « pas avoir peur de suivre la vérité où qu'elle mène ». Ce rêve se meurt. Les étudiants-clients ont transformé le temple de la pensée en temple de la terreur.

Quand on sait le prix qu'ils payent pour étudier, jusqu'à 60 000 dollars par an et même plus, ils feraient mieux de garder leur argent pour construire une *panic room* chez eux et s'y enfermer à double tour. C'est bien le problème de l'université américaine. Elle coûte si cher que les élèves se comportent comme des clients tyranniques. Ils en veulent pour leur argent, exigent d'obtenir leurs diplômes sans être bousculés dans leurs certitudes, ni sortir de leur confort émotionnel. Au point de transformer ces lieux de savoir en parcs d'attractions pour touristes de la pensée. Les campus sont sublimes, les jardins bien entretenus, mais on y apprend surtout à faire du sport et à se fréquenter entre « mêmes », pas à devenir des citoyens capables de se mélanger ou d'affronter un autre point de vue. Ce qui nous promet des générations narcissiques et névrosées, qui redoubleront de rage contre les autres sur les réseaux sociaux.

Michael Bloomberg, l'ancien maire de New York, s'est élevé contre cette culture victimaire, celle des « micro-agressions » et des *safe spaces*, lors d'un discours à l'université du Michigan. Il leur reproche de créer une illusion, « la fausse impression qu'on peut s'isoler de ceux qui ont un point de vue différent[1] ». C'est aussi l'avis d'une théologienne musulmane progressiste, Irshad Manji, qui enseigne à l'université d'Hawaï. Alarmée par la susceptibilité de certains étudiants, elle plaide pour une double révolution éducative : « Au moment où de plus en plus d'écoles enseignent aux jeunes à ne pas être offensants, elles doivent également enseigner à la nouvelle génération comment ne pas être aussi facilement offensée[2]. »

C'est dans cet état d'esprit que j'ai accepté de donner une série de conférences sur *Charlie Hebdo* et la laïcité à Duke et Hollins en 2016. C'était juste après l'élection de Donald Trump, dans deux États

---

1. Cité par Bradford Richardson, « Michael Bloomberg Booed at University of Michigan For Ripping Into "Safe Spaces", *The Washington Times*, 2 mai 2016.

2. Jason Duaine Hahn, « Schools "Need" to Teach Kids "How Not to Be Offended" in 2019, Educator Pleads », *People*, 4 avril 2019.

marqués par l'esclavage et la ségrégation : la Caroline du Nord et la Virginie. Autant dire que j'arrivais en terrain miné. Pourtant, le choc représenté par l'élection de Trump, la faillite de la gauche qui l'avait précipitée, laissaient espérer un début d'autocritique chez ces étudiants déboussolés. J'étais prête à débattre de tout. Les professeurs qui m'ont invitée, faut-il le préciser, ne sont pas américains mais européens. Terrorisés à l'idée de déplaire à leurs élèves et d'être renvoyés, ils comptent sur des intervenants extérieurs pour tenter d'aborder, malgré tout, certains sujets devenus tabous. Ces journées stimulantes ont confirmé mes craintes, tout en laissant entrevoir la possibilité d'un sursaut critique au sein de cette génération curieuse.

À Duke, campus idyllique, des jardins à perte de vue, un lac et une cathédrale, je rencontre des étudiants fort sympathiques, ultra-culpabilisés à l'idée d'étudier dans un lieu fondé par un homme plutôt en avance sur son temps en matière d'éducation, mais qui ne contestait pas l'esclavage. Ces élèves blancs m'ont fait visiter sa crypte en crachant presque sur sa tombe, avec tout le mépris qu'on attendait d'eux et de leur couleur.

L'université reste marquée par un événement qui en dit long sur la sensibilité à vif qui règne sur le campus. En 1997, une poupée noire est retrouvée pendue par le nez à la branche d'un arbre, à l'endroit précis où l'Association des étudiants noirs avait prévu de manifester. On imagine l'émotion. Tout le monde est bouleversé. Comme à Oberlin, on apprendra qu'il ne s'agit pas d'une provocation raciste… mais d'un *happening* antiraciste. Deux étudiants noirs ont pendu cette poupée pour interpeller. Le climat n'en est pas moins resté tendu comme une corde. En aparté, les enseignants américains avec qui j'ai pu m'entretenir m'ont confié leur terreur de commettre la moindre bourde, leur consternation face à la mode des « micro-vexations » et des *safe spaces*. Ne pouvant l'aborder, ils comptaient sur moi pour en débattre en classe.

À Hollins, un campus réservé aux filles, j'ai découvert combien la non-mixité pouvait libérer les étudiantes du fardeau d'être en compétition avec des mâles dominants. Mais aussi combien la nature avait horreur du vide et s'arrangeait toujours pour recréer de l'adversité. En l'occurrence, la compétition victimaire battait son plein entre les étudiantes. La plupart ont participé à la Women's March contre Donald Trump. Tout aurait dû les rapprocher. Pourtant, j'étais frappée par le climat de défiance qui régnait entre elles.

À la cantine, les tables ressemblaient au réfectoire de la prison dans *Orange Is the New Black*. Les lesbiennes mangeaient entre elles, les trans entre elles, les Noires entre elles. En aparté, les élèves noires m'avouèrent qu'elles n'osaient pas commenter la question de l'homosexualité. Des élèves blanches s'interdisaient d'intervenir sur le racisme, sauf pour s'autoflageller. Des lesbiennes, je l'apprenais en confidence, vivaient terrorisées à l'idée de fâcher les transgenres. L'une d'elles s'était vu exclure de son dortoir à la demande d'une étudiante trans pour avoir osé dire que dix ans lui paraissait tôt pour se faire opérer. Et qu'à cet âge on ne savait pas encore si on était homo ou trans. L'élève transsexuelle s'est dite « insécurisée » par sa remarque. Elle a obtenu son transfert pour pouvoir rester dans un dortoir *safe*, sans lesbienne avec qui débattre.

Le tableau qui s'esquissait au fil des confidences m'estomaquait. Mon seul réconfort venait du fait que les professeurs comme les élèves semblaient d'accord, en aparté, pour trouver cette situation absurde. La peur d'être lynché par les inquisiteurs du campus les empêchait néanmoins de le dire à voix haute.

Pour mon premier cours, l'amphi était bondé. Des élèves mais aussi des habitants de la petite ville d'à côté sont venus par curiosité pour cette Française dont les amis ont été tués dans un attentat. En matière d'empathie, les Américains ne sont jamais décevants. C'est au moment de passer au débat que les visages se crispent.

Tout en prévenant que j'allais sûrement les « offenser », je me suis mise à parler très librement du droit au blasphème, du féminisme et de la laïcité, tels que la gauche *Charlie* les défend. J'ai rencontré un certain succès auprès des lesbiennes blanches féministes, celles de mon groupe si je réfléchis en mode identitaire. Mais comme je suis une incorrigible universaliste, je rêvais de convaincre les autres. L'obstacle arriva. Alors que je tentais de lever le malentendu entre la France et les États-Unis à propos de la loi sur les signes religieux à l'école publique, il a surgi sous la forme d'une élève profondément offensée. Du fond de la salle, elle leva la main pour me rappeler à l'ordre : « Vous ne devriez pas parler du voile. Le voile est un symbole de la culture musulmane et vous êtes une féministe blanche. » On y était.

J'ai remercié mon interlocutrice d'avoir aussi bien résumé, en une phrase, tout ce qui m'« offensait » moi, en tant que française et féministe universaliste. J'ai joué de ma culture étrangère pour dédramatiser. En avertissant, à plusieurs reprises, que j'allais continuer à les offenser, j'ai arraché quelques sourires, et je me suis lancée. À mes yeux, ai-je expliqué, respecter les cultures commence par les connaître. Sans tout amalgamer. Ainsi, le voile ne symbolise pas la culture musulmane. Bien des musulmanes n'en portent pas. Des Algériennes se sont battues pour ne pas le porter. Des Iraniennes se battent encore, au risque de finir emprisonnées et torturées. Ceux qui veulent faire du voile le symbole de toutes les musulmanes soutiennent des fondamentalistes – à côté de qui Mike Pence passe pour un dangereux gauchiste. Ce regard, plus politique, moins exotique, change la perspective du débat.

Vu du monde musulman, et non de la gauche américaine, il existe un bras de fer à mort entre les progressistes et les réactionnaires à propos du voile. L'essentialiser comme le symbole de toute la culture musulmane, c'est nier la violence de ce bras de fer, tout en infantilisant ses acteurs. Comme dans le christianisme, il existe en islam des interprétations plus ou moins fondamentalistes. En soutenant le voile comme « symbole de la culture musulmane », cette jeune gauchiste choisit de se solidariser avec les fondamentalistes contre une approche plus féministe, portée par des femmes musulmanes que cette jeune gauchiste exclut de cette culture.

Au nom de quoi ? Qui est-elle pour décider qui a le droit d'en parler ? Tout le monde devrait pouvoir débattre d'un sujet aussi politique qui concerne les droits des femmes. Ou les antiféministes ont gagné. C'était ma démonstration. J'ai senti les élèves respirer. Le plafond de l'amphi semblait plus haut. L'oxygène circulait.

Le lendemain, en TD, on a dû aller chercher des chaises dans d'autres salles pour asseoir tout le monde. Des élèves qui ne suivaient pas ce cours voulaient tout de même y assister. De nouveau, j'ai prévenu que j'allais offenser. Les élèves ont souri. Ils commençaient à s'habituer. Personne ne s'est levé. Et pourtant, il s'agissait du cours de religion. Leur professeure, remarquable, souriait en m'écoutant bousculer ses élèves. J'ai établi une nouvelle règle : tout le monde devait parler de tout, quitte à offenser. Une sorte de *safe room* pour le délit d'opinion. Les élèves, enfin, se sont autorisés à débattre entre eux. Timidement, en tremblant, mais on y venait. Leurs corps raides se déliaient. Leurs bouches se décousaient. Ils redoutaient leurs camarades, mais ils recommençaient à penser à voix haute. Avec plaisir. Il suffisait juste de lever la terreur que d'autres élèves avaient instaurée. La curiosité de cette génération, sa soif de débattre, ne demande qu'à s'exprimer. Encore faut-il ne pas laisser les tyrans faire la loi sur les campus. Et soutenir les professeurs qui tiennent bon.

En partant, un professeur m'a remerciée, les yeux mouillés de larmes, d'avoir abordé des sujets qu'il n'osait plus frôler depuis des années. Quand je lui ai demandé pourquoi, il m'a répondu qu'il craignait de perdre son emploi. C'est arrivé, très souvent.

À Yale, en 2015, deux enseignants ont perdu leur poste pour avoir interrogé la politique universitaire visant à réguler le choix des costumes « offensants » pour Halloween. Ils plaidaient pour qu'on fasse plutôt confiance aux élèves pour en discuter. Leur e-mail a *leaké*. Les étudiants se sont mis d'accord… pour les virer[1].

---

1. Bradley Campbell et Jason Manning, *op. cit.*, p. 18 et 38.

Le cauchemar d'Evergreen

L'histoire la plus folle, celle qui rappelle les pages les plus angoissantes du roman *La Tache* de Philip Roth[1], s'est déroulée à Evergreen en 2017. Une faculté très libérale qui enseigne les arts à Olympia, dans l'État de Washington. La politisation de son campus a pris une tournure si sectaire que même des médias libéraux s'en sont alarmés. Quant aux médias conservateurs, ils se délectent en boucle des nombreuses vidéos tournées par les étudiants, tellement elles semblent sorties tout droit d'une faculté nord-coréenne ou d'une secte qui aurait pris le contrôle de l'université.

La polémique est née d'un désaccord entre un professeur et ses élèves à propos du « jour de l'absence ». Depuis quelques années, une fois par an, les personnes dites « de couleur » ne viennent pas sur le campus pour signifier ce que leur absence retirerait

---

1. Paru en 2000 aux États-Unis, *La Tache* raconte la chute d'un professeur, injustement accusé de racisme pour avoir dit « Zombie » en classe.

à la société. Bret Weinstein, professeur de biologie, l'a toujours respecté. Progressiste, militant des droits civiques, Juif et libertaire de gauche, il s'est toujours opposé au racisme. Il a également dénoncé le harcèlement sexuel en cours chez certaines fraternités sur son précédent campus, quand bien peu de professeurs s'alarmaient de ces pratiques. C'est aussi un enseignant rigoureux, qui croit à la précision et à la dialectique. Deux vertus que ses élèves vont lui reprocher.

En quelques jours, il devient la bête noire du campus. Son crime ? S'être inquiété, dans un e-mail tout à fait respectueux, de la nouvelle règle imposée par certains élèves pour ce jour de l'absence. Au lieu de demander aux personnes dites de couleur de boycotter cette journée de cours, ils exigent désormais que les personnes blanches, élèves et professeurs, ne viennent pas en classe ce jour-là. Ce qui change tout. Comme il tente de l'expliquer dans son courriel et à ses élèves, « il existe une énorme différence entre une population qui s'absente de l'espace public volontairement, pour mettre en valeur le rôle qu'elle y joue, et une population qu'on oblige à s'absenter de l'espace public. Ce que je trouve inacceptable en tant que militant des droits civiques. Je devrais peut-être dire aussi en tant que Juif. Quand les gens commencent à me dire où je peux et ne peux pas aller, cela sonne comme une alerte en moi ».

Toute personne dotée d'un minimum d'esprit critique saisit la nuance et comprend la sincérité antiraciste d'une telle distinction. Boycotter un espace public, un campus ou un bus pour dénoncer une discrimination est un acte progressiste. Interdire l'espace public à quelqu'un en raison de sa couleur de peau, c'est le contraire… De la ségrégation ! C'est ce que tente d'expliquer ce professeur aux élèves qui viennent l'agresser en classe, en l'encerclant, en tambourinant et en criant « Hé ! Hé ! Ho ! Ho ! Bret Weinstein doit s'en aller ! »

D'une patience infinie, le pédagogue reste calme. Mais alors qu'il développe son argument, les élèves, de plus en plus excités, lui coupent la parole, pour l'insulter et le traiter de raciste, avant de mettre fin au débat sur ce ton : « On s'en fout de tes conditions de Blanc ! Ce n'est pas une discussion, tu as perdu ce droit. » Le cercle des étudiants, nombreux et agressifs, se referme comme une meute prête à lyncher. Inquiète de la tournure que prend la confrontation, la police du campus cherche à intervenir pour dégager l'enseignant. Les étudiants deviennent fous : « Les Blancs ! Les Blancs ! » crient-ils pour demander à leurs camarades blancs de s'interposer entre les étudiants noirs et la police. Ce qui oblige la police à jouer des coudes pour parvenir jusqu'au professeur, afin de s'assurer qu'il n'est pas blessé. Nous parlons d'une mini-bousculade. Les élèves blancs sont à peine poussés pour être écartés du chemin, mais les frondeurs tiennent la scène dont ils rêvaient pour crier au martyre.

Convoquant leurs professeurs pour exiger réparation, les étudiants noirs décrivent un tout autre événement que ce que l'on peut voir sur leurs vidéos.

À les en croire, les policiers s'en seraient pris aux élèves blancs pour agresser les élèves noirs ! Il faut les entendre, des trémolos dans la voix, décrire une scène digne du film *Detroit* : « N'oubliez pas que vous nous avez infligé ça… Pensez à ça quand vous rentrerez chez vous pour embrasser vos enfants blancs. » Assis comme dans un tribunal, tétanisés, les professeurs n'osent rien dire. Ils sont visiblement terrifiés par leurs propres élèves. Ils vont même se laisser kidnapper !

Quelques jours plus tard, le même petit groupe d'élèves tyranniques va les retenir en otage dans la librairie, pour qu'ils réfléchissent au fait de ne pas être intervenus contre la police (l'incident a duré quelques minutes) et à leurs privilèges de Blancs. Le proviseur blanc est le premier à se laisser faire. La culpabilité et la peur se lisent sur son visage. Quand il ose demander s'il peut aller aux toilettes, le meneur de la fronde, un étudiant noir, lui rétorque : « Retiens-toi ! » Le proviseur baisse les yeux, et obéit.

La veille, le chef d'établissement a déjà subi une longue séance d'humiliation en plénière. Pendant deux heures, les élèves du campus l'ont insulté, lui et sa faculté soi-disant libérale. Et bien sûr, les meneurs ont exigé que le professeur de biologie soit viré. Ni le proviseur ni aucun des professeurs présents n'ont osé les contredire, même quand les insultes sont devenues franchement vulgaires et racistes : « Tu racontes que de la merde ! », « Pour qui tu te prends, putain ? », « Va te faire foutre et nique la police ! »,

« Ils nous font le coup depuis quatre cents ans. On a bâti ces villes, on avait la civilisation bien avant eux ! »

Des saillies jetées par les élèves, applaudies comme dans une secte par leurs camarades, ivres de leur nouveau pouvoir. À un moment, on se croit même dans un jeu de téléréalité sadique. Lorsque le proviseur montre du doigt l'un des élèves, ils prennent feu. « Ça se fait pas putain, baisse ta main, George ! » Une élève noire s'approche, menaçante. Le proviseur baisse la main et la met dans le dos pour ne plus la bouger. Il s'excuse comme un esclave de bouger parfois sa main : « Je fais ce que je peux. » Les élèves rient. Ravis d'être les nouveaux maîtres, ils se comportent comme des esclavagistes, jouissant visiblement de ce renversement. Sauf qu'ils sont élèves et qu'ils asservissent des enseignants antiracistes.

Ce chaos complet n'est pas tombé du ciel. Le proviseur récolte ce qu'il a semé. George a un nom. Il s'appelle George Sumner Bridges. Et il est responsable de l'état mental de ses élèves. Il les a même incités à penser qu'ils pouvaient aller jusque-là.

En début d'année, pétri de bonnes intentions antiracistes, ce nouveau proviseur a commencé par obliger ses enseignants à se présenter par leur « race » et à confesser sur scène leurs privilèges, pour s'en excuser. Il faut voir les visages livides de ces enseignants ainsi humiliés. Eux savent qu'ils viennent de perdre toute légitimité, toute chance d'être respectés par leurs élèves. Leurs mines sont défaites. Leurs voix tremblent. Pas seulement ceux qu'on oblige à se présenter comme « blancs, hétérosexuels et cis-genres ». Des enseignantes lesbiennes, des femmes qui sont les premières de leur milieu social à se rendre à l'université, ont dû baisser les yeux et se déclarer privilégiées !

Un autre jour, toutes les équipes pédagogiques sont priées de monter ensemble dans un canoë ima-ginaire, sur ordre d'un professeur noir qui leur parle comme à des enfants. Avant de former une ligne censée représenter le « canoë », bercé par de fausses vagues sur un écran géant, chaque professeur s'en-gage à se montrer le plus accueillant possible envers les élèves noirs et à dénoncer la « blanchité ». Une professeure blanche, au bord des larmes, quasiment en transe, se met à crier au micro : « Je refuse de laisser la blanchité me consumer ! » Le ton de l'an-née est donné. On ne s'étonne plus que des élèves se soient permis de sadiser leurs professeurs, totalement déshumanisés. Ni qu'ils soient incapables d'écouter un avis contraire.

Les professeurs blancs ont été délégitimés d'entrée du fait de leur couleur, mais l'université a tout de même trouvé un gourou blanc à écouter : la grande prêtresse Robin DiAngelo. Adorée par la gauche identitaire, la sociologue est à l'origine du concept douteux de « fragilité blanche ». C'est un concept très simple, qui consiste à considérer qu'un Blanc se défendant d'être raciste est en fait irréfutablement raciste. Le fait qu'il réagisse mal si on lui reproche d'être raciste, qu'il cherche à argumenter, est validé comme la preuve indéniable de son racisme. Pratique et implacable. Le fait de demander des preuves pouvant étayer cette accusation de racisme revient à faire preuve en soi de « Racisme avec un grand R ». D'ailleurs, pourquoi demander ? Un Blanc est forcément raciste, puisqu'il est blanc.

DiAngelo, elle-même, se considère comme raciste parce que blanche : « Il est inévitable pour moi d'avoir des pensées et des comportements racistes. » Vous avez bien compris. Au lieu de faire une bonne thérapie personnelle, la « sociologue » use de catégories pseudo-scientifiques pour valider un préjugé, essentialiste, qui relève d'une pensée raciste... Mais comme elle nous a bien prévenus, elle ne peut s'en empêcher puisqu'elle est blanche. Elle pense aussi, elle l'a dit devant les élèves de l'université Evergreen, que « seuls les Blancs peuvent être racistes ». Car bien sûr ni l'esclavage ni le racisme anti-Noirs n'existent dans aucun pays arabe, où la traite a duré treize siècles, ni au Maghreb où on les traite parfois de cafards et où des intégristes nient leur islamité du fait de leur couleur de peau.

Comment peut-on inviter ces charlatans à déverser une telle propagande dans une université ? Non seulement DiAngelo a été invitée à laver le cerveau des étudiants d'Evergreen, mais on la paye grassement pour ça. Sa sociologie de pacotille lui rapporte environ 12 000 dollars par conférence. Une somme qui pourrait financer la bourse d'un élève afro-américain défavorisé. L'université préfère visiblement engraisser le business d'une Blanche aisée, dont le commerce est d'apprendre aux Noirs à ne pas dialoguer avec les Blancs, ni à les écouter, et aux Blancs qu'ils sont racistes par nature.

Une haine de soi de plus en plus tendance chez les célébrités. Rosanna Arquette, qui ne fait plus vraiment parler d'elle au cinéma, a soudainement tweeté : « Je suis désolée d'être née blanche et privilégiée. Cela me dégoûte. J'ai tellement honte. » À quoi sert ce genre de tweet ? À part gonfler les rangs des suprémacistes blancs, on ne voit pas. Mais l'on comprend mieux pourquoi certains élèves d'Evergreen, biberonnés à cette haine de soi et des autres, refusent désormais de débattre avec un enseignant blanc, coupable par nature. L'université Evergreen leur a enseigné à être sectaires et racistes !

L'époque, aussi, les y encourage. Plus ces jeunes se comportent en inquisiteurs, plus ils pensent être médiatisés. Cette fois pourtant, les étudiants d'Evergreen sont allés si loin que la gloire espérée n'a pas tourné à leur avantage. Les vidéos de leurs agressions, de leurs insultes, ont choqué. Des médias libéraux comme *Vice* sont sortis terrifiés de leur enquête sur place. Vous imaginez ce qu'a pu en faire Fox News. Les esprits se sont tellement échauffés qu'un néonazi a fini par appeler les médias pour dire qu'il allait venir sur le campus tuer « toute cette vermine ». Une menace qui a, bien entendu, réjoui nos professionnels de la victimisation.

Dans une vidéo devenue virale sur Internet, un identitaire conseille de ne surtout pas les menacer, mais plutôt de les ridiculiser. Lui-même y arrive très bien, rien qu'en commentant de façon sobre et détachée la folie des vidéos d'Evergreen. Chacun de ces excès engraisse la droite identitaire. Aux États-Unis comme en Europe, où le mal est en train d'arriver.

Chasses aux sorcières

La chute du Mur et la fin proclamée des idéologies ont laissé le champ libre à la retribalisation du monde. Ce n'est plus la guerre froide,
mais la guerre des identités. La génération Y ou
Millennium n'a connu ni l'esclavage, ni la colonisation, ni la déportation, ni le stalinisme. À
force de voir le monde de façon décontextualisée
et anachronique à travers Internet, elle se croit
pourtant parfois esclave, indigène, voire menacée
d'extermination. Lyncher numériquement lui sert
d'école politique, de parti, de mouvement. Elle y
a appris à s'emballer au moindre tweet, à vocifé-
rer plus vite que son ombre pour récolter le plus
grand nombre de « likes ». Au point d'imiter à
merveille les bons vieux procès de Moscou, plus
faciles à organiser que jamais. Ils se jouent désormais à l'université.

Dans un dossier consacré aux « obsédés de la
race », Étienne Girard et Hadrien Mathoux, journalistes à *Marianne*, décrivent bien la « guerre des
facs » qui se joue en France, au sein de la sociologie

notamment[1]. Le bilan est clair : les universalistes ont perdu. Les identitaires sont partout. À l'EHESS, à Paris 1 ou Paris 8, à l'École normale supérieure, la norme est désormais d'appartenir à cette gauche anti-*Charlie*, fan des Indigènes de la République, férue d'ateliers pratiquant la ségrégation entre « racisés » et non-« racisés », de procès d'intention en « islamophobie » et de mises à l'index en « appropriation culturelle ».

Au sommet de la transmission intellectuelle, la « lutte des races » a remplacé la « lutte des classes », et l'intersectionnalité la convergence des luttes. Ceux qui proposent une autre approche, plus marxiste ou simplement universaliste, ne tiennent pas longtemps. Un système de cooptation dénoncé par un jeune doctorant en sciences politiques qui préfère garder l'anonymat : « Si tu n'es pas bourdieusien, et que tu n'as pas d'appétence pour les thèmes du genre et de la race, tu n'as vraiment pas beaucoup de chances d'obtenir un poste[2]. » Un professeur s'est même vu placardisé pour avoir dénoncé l'invitation d'Houria Bouteldja des Indigènes de la République à l'université de Limoges : « Le directeur de l'école doctorale m'a fait comprendre que je n'aurais plus de doctorants sous contrat tant qu'il serait là », confie Stéphane Dorin à *Marianne*[3]. La

---

1. Étienne Girard, Hadrien Mathoux, *art. cit.*
2. Étienne Girard, « Comment les "décoloniaux" mènent la "guerre des facs" », *Marianne*, 12-18 avril 2019.
3. *Id.*

gauche postmoderniste est pourtant en chute libre dans l'opinion. Chacune de ses prises de parole ne sert qu'à gonfler les voix de l'extrême droite. Mais elle s'est repliée sur l'université, comme jadis la droite religieuse américaine après avoir perdu le procès du singe contre l'enseignement de l'évolution. À l'abri de ces murs, elle y fabrique une nouvelle génération, prête à prendre sa revanche culturelle en profitant de nos démissions. Au lieu de lui inculquer l'importance de juger en fonction du contexte et de l'intention, elle conforte ses étudiants dans sa vision identitaire et victimaire de l'antiracisme[1].

La génération qui vient, celle qui commence à conquérir des postes dans le milieu de la culture, des médias ou de la politique, est acquise à la « politique de l'identité ». Elle siège dans les jurys des festivals de cinéma au titre du quota « féministe intersectionnel ». Des postes d'où elle mène la guerre à l'appropriation culturelle. Des lieux où nous sommes passés de la culture des *safe spaces* à celle d'ateliers « non mixtes », réservés aux seuls « racisés ».

---

1. C'est le thème du livre co-écrit par Éric Fassin, *De la question sociale à la question raciale*, qui ne prend même plus le temps de mettre des guillemets à « race », comme aux États-Unis. Sociologue de référence pour le journal *Le Monde* et France Culture, grand importateur de la « politique de l'identité » à l'américaine, il est aussi l'un des principaux soutiens universitaires des Indigènes de la République, qu'il perçoit comme un « mouvement d'émancipation ». Une doxa qu'il enseigne à l'École normale supérieure, à toute une génération de futurs enseignants à qui il transmet cette vision de l'identité et de l'appropriation culturelle.

La non-mixité n'est pas un drame en soi. Elle peut servir à libérer la parole. Elle se comprend lorsqu'un festival de films lesbiens n'a pas assez de places pour s'ouvrir à tous, ni les moyens d'engager un service de sécurité pour se protéger des voyeurs et des pervers qui viennent insulter les participantes. Elle s'entend également lorsqu'il s'agit de libérer la parole de victimes de violences sexuelles. Il en va tout autrement lorsqu'il s'agit d'organiser des « séminaires », des formations et des débats entre militants et intellectuels à l'université comme à Paris 8 où l'on exclut les non-« racisés », c'est-à-dire les Blancs. Si des victimes de racisme veulent se retrouver entre elles pour libérer leur parole, elles peuvent le faire dans le cadre associatif. L'université, elle, doit rester un lieu ouvert à tous, où se croisent les idées. On ne peut pas y pratiquer la ségrégation, même inversée.

On rêverait de campus redevenant plutôt des *safe spaces* pour le débat d'idées et la transmission d'une culture commune. Des sanctuaires où l'on pourrait avoir des débats contradictoires et courtois impossibles à mener sur Internet. Ces débats deviennent de plus en plus difficiles à organiser.

Depuis quelques années, les inquisiteurs pratiquent ouvertement une police de la pensée. La censure va bien au-delà de la question identitaire. Des étudiants de l'extrême gauche identitaire attaquent très régulièrement, violemment et physiquement, les conférenciers ne partageant pas leurs croyances. Qu'ils appartiennent à la droite ou à la gauche tempérée, social-démocrate et universaliste. Dans bien des universités, il n'est plus possible de faire interve-nir des personnalités déplaisant à ces étudiants sec-taires, gauchistes ou islamistes. Les intervenants sont aussitôt pris en chasse, comme sur Internet, par une meute d'étudiants surexcités – qui les accusent de violer leur *safe space*.

Cela m'est arrivé à deux reprises à l'Univer-sité libre de Bruxelles, en 2007 et en 2012. La pre-mière fois, je venais dénoncer la politique sécuritaire de Nicolas Sarkozy. J'ai dû livrer ma conférence sous protection policière. Dans la salle, des étu-diants hurlaient : « Sale juive ! Franc-maçonne ! Islamophobe ! » Certains me jetaient des projectiles en papier. D'autres ont tenté de m'entarter. Ils me reprochaient surtout de m'être opposée à Dieudonné et à Tariq Ramadan, un gourou islamiste que ces cercles étudiants ne cessaient d'inviter. La dernière table ronde, organisée par des étudiants turcs, avait tourné à la négation du génocide arménien. Choqué, le recteur tentait depuis de mettre un peu d'ordre dans sa faculté, en initiant un chantier « Valeurs », destiné à réfléchir sur les valeurs de l'université, et en déclarant que Tariq Ramadan n'était plus le bien-venu. Ce que les étudiants gauchistes ont voulu faire payer. Tellement il était inconcevable, à leurs yeux, que l'université puisse défendre des valeurs.

Attaquer ma conférence était une façon d'intimi-der cette vigilance, vécue comme de l'autoritarisme. Ce qui n'empêchait pas les étudiants anarchistes de crier « À bas la démocratie ! » pour me cou-per la parole. Les enseignants qui assistaient à ma conférence tremblaient, terrorisés par la violence de leurs élèves. Ce jour-là, j'ai vu la démission intellectuelle en face. J'ai tenu deux heures sur le ring, refusant de me laisser intimider, répondant à tout, même sous les insultes. J'ai fini par obtenir des moments de silence, par me faire entendre et même applaudir. J'ai cru naïvement que cette performance physique – j'avais bien perdu deux kilos ce soir-là – serait suivie d'un sursaut. Pas vraiment.

Les jours suivants, le campus fut sens dessus dessous. La professeure en charge du chantier « Valeurs », Emmanuelle Danblon, reçut de nombreuses menaces, souvent antisémites. Au lieu de la soutenir, le recteur préféra acheter la paix en abandonnant le chantier « Valeurs ». Quand je suis retournée à l'ULB pour un débat, cinq ans plus tard, il n'était plus à la tête de l'université. Cette fois, je devais débattre de l'extrême droite et du racisme aux côtés de deux intellectuels belges, Hervé Hasquin et Guy Haarscher. Le débat partait bien. Mais il n'a pas duré plus de dix minutes. Une soixantaine d'étudiants gauchistes et islamistes, absolument déchaînés, ont commencé à nous interrompre depuis la salle. L'un d'eux a lancé une injure raciste, à laquelle j'ai immédiatement réagi, pour la dénoncer. Ce n'était pas prévu. Dans le scénario imaginé par ces agitateurs, je devais laisser passer l'injure, ce qui justifiait leur jacquerie. J'ai réagi, mais leur scénario était écrit d'avance et leur but était de m'empêcher de parler. Ils se sont donc déchaînés quand même. Les autres spectateurs n'y comprenaient goutte. Moi si. J'avais

139

vu passer leurs appels à me « lapider symbolique-
ment » sur les réseaux sociaux. L'opération portait
même un nom : « Burqa Bla Bla ».

Elle visait ouvertement à me faire payer mes posi-
tions féministes contre le port du voile intégral, et
plus encore mes travaux ayant démontré le double
discours de Tariq Ramadan. L'opération était menée
par plusieurs de ses fans. L'un des plus extrémistes,
Souhail Chichah, avait réussi à se faire engager à
l'ULB comme professeur. Ivre de rage, il est venu
jusqu'à la tribune pour me hurler dessus, la tête
couverte d'un voile. Quand nous lui avons tendu
un micro pour s'exprimer, il n'a pas su prononcer
un mot, ni argumenter. Il s'est juste mis à scander
« Burqa Bla Bla, Burqa Bla Bla ! » pour exciter sa
meute. Je n'avais jamais vu autant de radicaux à la
limite de la violence physique, en voile ou en keffieh,
semer la pagaille dans une université. L'un d'eux portait une fausse ceinture d'explosifs et se levait pour
mimer un kamikaze prêt à déclencher sa bombe. Les
autres hurlaient. Les participants semblaient affolés.
Et la conférence a été annulée.

Cette fois au moins, la censure a fait scandale dans
la presse belge. L'enseignant qui avait préparé et
mené l'assaut a été licencié à l'issue d'une enquête
interne, où l'on a découvert qu'il entraînait ses élèves
à compter le nombre d'enfants palestiniens tués. Le
nouveau recteur de l'ULB, Didier Viviers, a su réagir. J'ai aussi porté plainte. Contre l'un des leaders
de cette attaque ayant osé me comparer à Anders

Breivik, le terroriste nazi, sur Internet. Je voulais que les autorités belges gardent ce petit groupe à l'œil.

Ce soir-là, je m'étais sentie menacée comme jamais. Des années plus tard, j'apprendrai que l'un des organisateurs du « chahut » – comme la presse l'a appelé – revenait de Syrie, où il était parti rejoindre Daesh. Aux policiers et à la presse qui l'ont interrogé, il a juré ne pas avoir participé aux combats. Il voulait juste étudier le projet « humanitaire » de l'organisation terroriste[1]. Il n'a pas été arrêté. Il est libre de ses mouvements et de revenir assister à mes conférences s'il le souhaite.

Les personnes menacées de mort par les islamistes entrent moins facilement que lui à l'université. Les cercles d'étudiants n'ont aucun problème à inviter des provocateurs antisémites comme Dieudonné, des pasionarias pro-Hamas comme Houria Bouteldja. En revanche, les membres de *Charlie* peuvent difficilement y mettre les pieds pour défendre la liberté d'expression ou la laïcité. Aux États-Unis comme en Angleterre, la sécurisation d'intervenants menacés de mort par des groupes djihadistes coûte si cher, au moins 20 000 euros, que les invitations se font rares. D'autant qu'il est certain que des étudiants gauchistes et islamistes viendront les insulter.

À l'université de Londres, en 2017, la féministe iranienne Maryam Namazie s'est fait agresser (cris et électricité coupée) par un groupe d'étudiants

---

1. « L'un des ex-chahuteurs de Caroline Fourest à l'ULB est allé en Syrie et s'explique », *La Libre Belgique*, 14 août 2015.

musulmans clamant que sa parole violait leur *safe space*. Pour une fois, l'université a tenu bon. C'est aussi le cas à Sciences Po, lorsque des étudiants ont voulu empêcher Alain Finkielkraut d'intervenir. La conférence a dû se tenir en catimini et sous haute sécurité. Mais l'UNEF a protesté ! Le syndicat a regretté, dans un communiqué, que l'intellectuel ait pu parler dans ce qu'il semble croire être « leur » université. En fait de *safe space*, il s'agit clairement d'une guerre de territoire et d'intimidation pour imposer sa vision identitaire au détriment de toutes les autres.

En octobre 2019, des étudiants favorables à l'ouverture de la PMA aux couples de femmes ont empêché Sylviane Agacinski, une féministe essentialiste relativement conservatrice sur le sujet, de prendre la parole à l'université Bordeaux Montaigne. Au lieu de venir lui apporter la contradiction dans le calme, ils ont menacé la conférence de violences. Au lieu de tenir bon, la direction de l'établissement a cédé[1].

Le même mois, la direction de Panthéon-Sorbonne a choisi d'annuler un séminaire de prévention du radicalisme imaginé depuis deux ans par le journaliste d'origine algérienne Mohamed Sifaoui. C'est l'un des meilleurs connaisseurs de ce phénomène depuis les attentats qui ont frappé l'Algérie et emporté son journal dans les années 1990. Ce programme était pensé en partenariat avec la Mosquée

---

1. Fabien Leboucq, « PMA : pourquoi la conférence de Sylviane Agacinski a-t-elle été annulée à l'université de Bordeaux ? », *Libération*, 27 octobre 2019.

de Paris et plus de quatre-vingts imams ! Ses détracteurs ont osé l'accuser d'« islamophobie » et de ne pas être assez académique, comme si la prévention d'un tel phénomène n'avait pas besoin de cette expérience. Il a suffi qu'une poignée d'associations islamistes, suivie par les syndicats, proteste pour le faire sauter.

Le plus grotesque a été atteint lorsque des petits staliniens ont empêché une conférence de l'ancien président François Hollande. Alors qu'il s'apprêtait à parler de son livre à la faculté de droit de Lille, une centaine d'étudiants proches du syndicat Solidaires ont envahi l'amphithéâtre en hurlant « Hollande assassin » ! Certains ont même déchiré des exemplaires de son livre. Soi-disant pour protester contre la précarité. Quelques jours plus tôt, un jeune étudiant lyonnais venait de s'immoler après avoir perdu sa bourse. Brûler un mannequin devant le lieu où l'ancien président allait s'exprimer aurait pu faire sens. Déchirer des livres en le traitant d'« assassin » n'en a aucun, à part rappeler les procès staliniens. À force de tout relativiser, les inquisiteurs ne savent plus faire la différence entre un démocrate et un dictateur, entre protester et censurer.

La dérive d'une certaine jeunesse n'est pas seulement en cause. La démission culturelle de certaines élites doit également être interrogée. Jusqu'à quand va-t-on tolérer cette intimidation ? Ne voit-on pas où elle mène ?

CONCLUSION

Tant que la gauche identitaire ridiculisera l'antiracisme de façon aussi liberticide et sectaire, la droite identitaire gagnera les esprits, les cœurs, les reins, puis les élections. À force de défendre la censure, l'ethnie, la religion et le particularisme, on lui laisse le beau rôle : défendre la liberté.

Qu'il est loin le temps où l'adversité forgeait des opprimés dignes, au cuir épais. Nos aînés ont enduré de vraies humiliations, pas des « micro-vexations ». Les « offensés » de la gauche identitaire n'ont pas connu la violence du combat contre la ségrégation, l'apartheid ou le nazisme. Ils ne se sont pas battus pour le droit d'avorter, ni pour celui d'aimer sans être arrêtés comme à *Stonewall*. Ils militent pour ne pas manger asiatique à la cantine et refusent de faire du yoga. Leur épiderme douillet s'affole à la moindre contrariété. Une sensibilité devenue susceptibilité qui ridiculise l'antiracisme.

Plusieurs phénomènes se conjuguent pour expliquer cette dérive. D'abord la volonté légitime de lutter contre un vocabulaire ordurier, humiliant et haineux.

Si le *politiquement correct* tombe aujourd'hui clairement dans l'excès, il n'est pas question de revenir au langage dominant et normatif d'antan. L'incitation à la haine, ou au meurtre, mérite d'être sanctionnée, le *hate speech* d'être régulé, sur les réseaux sociaux comme dans nos médias. Pas l'humour, la création ou le second degré. Sans confondre la brutalité d'une parole ou d'un dessin avec celle d'un acte. Si la liberté de parler s'arrête chaque fois qu'un groupe ou une personne s'offusque, alors le débat, la simple conversation, la démocratie elle-même, ne peut qu'étouffer. Le progrès n'est pas question d'apprendre à se taire, mais d'apprendre à mieux se parler.

Même excessive, la libération de la parole façon #MeToo doit se poursuivre. Elle est si nécessaire après des siècles de viols et de harcèlement. La honte tétanisait les victimes. Elle passe enfin du côté des bourreaux. Le tribunal de l'opinion ne peut pour autant devenir la justice, celle qui examine à charge et à décharge, avant de briser la réputation d'un homme. L'arme la plus puissante pour faire évoluer les mentalités est d'encourager un nouvel imaginaire, où chacun puisse s'identifier à mille personnalités, grâce au cinéma et à la télévision. Mais, de grâce, qu'on ne tombe pas dans cette vision caricaturale, consistant à exiger des films *certifiés culturellement purs*, où les acteurs ne joueraient que des personnages de leur groupe ethnique, pour ne prononcer que des dialogues politiquement corrects !

On ne repousse pas les normes avec des diktats ou des frontières. Comme l'a si bien dit Ariane

Mnouchkine, l'inspiration est une « source sacrée », à laquelle nous devons tous pouvoir nous abreuver. L'emprunt demande certainement une forme d'élégance. De respecter et de citer. Dans le cas d'exploitation commerciale, il doit donner lieu à un échange équitable. Dans le domaine de la culture, de la musique ou de la littérature, l'hommage n'est pas un pillage, mais un métissage. Une culture mélangée que les inquisiteurs de l'identité sont en train d'asphyxier. Les réseaux sociaux les incitent à chasser en meute, et à penser en boucle. Les universités devraient apprendre à penser contre soi-même, à contextualiser, à endurer l'offense et à y répondre par l'argument. C'est l'inverse qui se produit. Les élèves s'y croient au supermarché. L'époque sacralise les victimes et non le courage. La démission répond à l'intimidation.

C'est ce cercle infernal qu'il faut inverser. En ne laissant plus passer. En refusant d'importer cette vision inquisitrice et sectaire de l'identité et de la culture. Dans l'espoir qu'un sursaut vienne à temps.

Les lanceurs d'alerte existent, depuis des années, d'un bout à l'autre du spectre intellectuel. Dès 1987, dans *The Closing of the American Mind*, le philosophe classiciste Allan Bloom pointait les dangers du relativisme universitaire. Une alerte partagée par l'universitaire démocrate Arthur M. Schlesinger Jr., militant des droits civiques et conseiller de John Fitzgerald Kennedy. Son livre, *La Désunion de l'Amérique*, est sorti en 1991. Il résonne encore comme une alerte formidablement visionnaire[1]. L'auteur voit venir avec angoisse une ère « post-idéologique », où les loyautés ethniques et religieuses risquent de submerger ce qui tisse une nation. Cette retribalisation séparatiste menace à ses yeux l'*American way of life*. Il se montre tout particulièrement affolé de la tournure prise par l'enseignement à l'université, où il devient impossible de transmettre une histoire commune, critique ouvertement les dérives du multiculturalisme et la « politique d'identité », ses penchants liberticides contre la liberté d'expression et même de blasphémer. Des germes pouvant mener à ses yeux à la « guerre culturelle ». Nous y sommes. Ses craintes se sont vérifiées.

Trente ans plus tard, Francis Fukuyama dresse le même constat. Après avoir proclamé la fin des idéologies, il publie *Identity*, un essai qui suit à la trace les ravages de ce renouveau identitaire, porté par l'extrême gauche mais qui réussit comme toujours, *in fine*, à l'extrême droite[2]. Car elle incarne davantage ce *thymos*, « cette part d'âme qui aspire à la reconnaissance de la dignité » d'une nation[3]. L'auteur est convaincu que la gauche ne pourra plus revenir au premier plan sans tenir compte de cette âme com-

1. Arthur Meier Schlesinger Jr., *The Disuniting of America, Reflections on a Multicultural Society*, W. W. Norton & Company ; Revised and Enlarged Edition, 1998.

2. Francis Fukuyama, *Identity, the Demand for Dignity and the Politics of Resentment*, Profile Books, 2018.

3. *Idem*, p. 13.

mune, au lieu de se vendre à la politique clientéliste et fragmentaire de la politique de l'identité. Le salut viendra d'une gauche républicaine à la française. C'est aussi l'avis de Mark Lilla. Dans un pamphlet brillant, ce libéral francophile accuse la gauche identitaire, preuves à l'appui, d'avoir mis « l'Amérique en miettes ». Lui aussi plaide pour l'avènement d'un progressisme universaliste : « Nous devons devenir une gauche républicaine[1]. »

C'est dans cette gauche que je m'inscris ; depuis cette approche universaliste que j'alerte contre la gauche identitaire. Un sentiment d'urgence accru par vingt ans d'enquête sur les mouvements extrémistes comme le Front national ou la droite religieuse américaine. Choisir le chemin de l'identité ne mène jamais à l'égalité, mais à la revanche.

Une critique constructive de la « politique d'identité » ou du « politiquement correct » ne viendra pas du camp conservateur. Il ne dénonce la *tyrannie des minorités* que pour restaurer le règne des privilégiés. Il ne pointe les travers du multiculturalisme que pour revenir au monoculturalisme. Ne se plaint du « politiquement correct » que pour pouvoir éructer librement. L'alternative, la vraie, ne peut venir que d'antiracistes sincères. Cela demande un certain courage. Se fâcher avec des amis, des camarades. Endurer d'être traité de « raciste » et d'« islamophobe ». Terriblement pénible. Pourtant, il faut bien braver l'intimidation si l'on veut enrayer la

---

1. Mark Lilla, *op. cit.*, p. 31.

guerre identitaire. Ce sursaut exige de ne plus accepter les procès absurdes en appropriation culturelle. De reconquérir des places et des postes à l'université. De réapprendre à défendre l'égalité et plus seulement la diversité[1]. Sans céder à la tentation de mettre en concurrence la lutte contre les inégalités sociales et la lutte contre les discriminations.

Les combats contre le racisme, l'antisémitisme, le sexisme ou l'homophobie ne sont ni secondaires, ni des batailles « bourgeoises ». La discrimination tue, détruit, avilit. On doit continuer de s'attaquer aux préjugés armant cette toxicité. Mais de façon intelligente, dans le but réel de convaincre, lever les obstacles, déconstruire les stéréotypes, briser les chaînes des cases ethniques, revoir la répartition des rôles et des genres. En rêvant d'identités fluides, de sexualités libres, de transculturalisme et d'une société métisse. L'exact opposé du monde de la gauche identitaire, qui se nourrit des conflits enfermant les gens

---

1. C'est le plaidoyer de Walter Benn Michaels, qui préfère le temps de la lutte des classes à celle des races. Dans un essai intitulé *La Diversité contre l'égalité*, une formule que j'avais moi-même employée quelques mois auparavant dans *Le Monde*, il estime que cette passion soudaine pour les thèmes sociétaux masque l'acceptation des inégalités créées par l'économie de marché : « La diversité n'est pas un moyen d'instaurer l'égalité ; c'est une méthode de gestion de l'inégalité. » Il va falloir retrouver le souffle d'une vraie pensée progressiste contre les inégalités profondes (« La diversité contre l'égalité », par Caroline Fourest, *Le Monde*, 17 janvier 2008).

dans leur case, de compétition victimaire et d'antagonismes sans fin.

Cette tyrannie de l'offense nous étouffe. Il est temps de respirer, de réapprendre à défendre l'égalité sans nuire aux libertés.

REMERCIEMENTS

Comme tous mes précédents ouvrages, ce livre doit beaucoup à mon éditeur Christophe Bataille. Merci aussi à Olivier Nora et à toute l'équipe de Grasset pour ce compagnonnage fidèle, d'étapes en alertes.

Table

DE LA MÊME AUTEURE :

GÉNIE DE LA LAÏCITÉ, Grasset, 2016 ; Le Livre de Poche, 2018.

ÉLOGE DU BLASPHÈME, Grasset, 2015 ; Le Livre de Poche, 2016.

INNA, Grasset, 2014 ; Le Livre de Poche, 2015.

LIBRE CHERCHEUR, Flammarion, 2013 (avec Étienne-Émile Baulieu).

QUAND LA GAUCHE A DU COURAGE. *Chroniques résolument laïques, progressistes et républicaines*, Grasset, 2012.

LA VIE SECRÈTE DE MARINE LE PEN, Grasset-Drugstore, 2012 (avec Jean-Christophe Chauzy).

MARINE LE PEN, Grasset, 2011 (avec Fiammetta Venner) ; Le Livre de Poche, 2012.

LIBRES DE LE DIRE, Flammarion, 2010 (avec Taslima Nasreen).

LES INTERDITS RELIGIEUX, Dalloz, 2010 (avec F. Venner).

LA DERNIÈRE UTOPIE. *Menaces sur l'universalisme*, Grasset, 2009 ; Le Livre de Poche, 2011.

LA TENTATION OBSCURANTISTE, Grasset, 2005 ; Le Livre de Poche, 2008.

LES NOUVEAUX SOLDATS DU PAPE. *Légion du Christ, Opus Dei, traditionalistes*, Panama, 2008 ; Le Livre de Poche, 2010 (avec F. Venner).

LE CHOC DES PRÉJUGÉS. *L'impasse des postures sécuritaires et victimaires*, Calmann-Lévy, 2007.

CHARLIE BLASPHÈME, Charlie Hebdo Éditions, 2006.

FACE AU BOYCOTT, Dunod, 2005.

FRÈRE TARIQ. *Discours, stratégie et méthode de Tariq Ramadan*, Grasset, 2004 ; Le Livre de Poche, 2010.

TIRS CROISÉS. *La laïcité à l'épreuve des intégrismes juif, chrétien et musulman*, Calmann-Lévy, 2003 ; Le Livre de Poche, 2005 (avec F. Venner).

FOI CONTRE CHOIX. *La droite religieuse et le mouvement prolife aux États-Unis*, Golias, 2001.

LES ANTI-PACS, *ou la dernière croisade homophobe*, Prochoix, 1999 (avec F. Venner).

LE GUIDE DES SPONSORS DU FRONT NATIONAL ET DE SES AMIS, Raymond Castells, 1997 (avec F. Venner).

Pour suivre Caroline Fourest :
http://carolinefourest.wordpress.com